EYROLLES BRICOLAGE

D0531322

Faire sa maçonnerie

Max Direktor

Traduit par Sabine Rolland

EYROLLES

Éditions Eyrolles
61, boulevard Saint-Germain
75240 Paris Cedex 05

Traduction autorisée de l'édition originale en langue allemande de *Selbst mauern, betonieren und verputzen*
publié par Compact Verlag GmbH (Allemagne)
© 1996, Compact Verlag GmbH, München
© 1997, Éditions Eyrolles pour la traduction française

ISBN : 2-212-06041-6

Avant-propos

Le bricolage, un passe-temps intelligent, partagé aujourd'hui par des millions de personnes. Qu'il s'agisse d'une location ou de ses propres murs, un peu d'adresse et des conseils de professionnels permettent souvent d'obtenir des résultats remarquables lors de petites réparations, de travaux de rénovation, d'embellissement ou d'aménagement. De plus, une fois le travail accompli, le bricolage est un plaisir et une source de satisfaction personnelle. Il permet également de faire des économies, grâce auxquelles vous pourrez réaliser vos rêves les plus fous, et vous rend indépendant vis-à-vis des artisans qui ne sont pas toujours disponibles au moment voulu.

Les nombreux magasins spécialisés fournissent au bricoleur tous les outils et matériaux dont il a besoin. Mais il ne suffit pas de disposer d'un outillage adéquat ni d'avoir du cœur à l'ouvrage : une bonne préparation et des connaissances techniques dans le domaine sont indispensables à la bonne exécution des travaux et permettent d'éviter certains écueils.

Faire sa maçonnerie, de la collection EYROLLES BRICOLAGE, vous montre comment procéder ; il contient de précieux conseils pratiques et des astuces qui vous seront fort utiles. Chaque étape du travail, détaillée pas à pas, est expliquée par le texte et l'image. Des symboles clairs informent immédiatement le lecteur du niveau de difficulté technique de chacune des étapes, de la force physique nécessaire et de la durée moyenne du travail ; l'outillage indispensable et l'économie réalisée sont également indiqués.

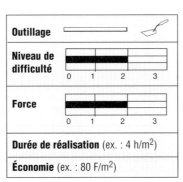

Niveau de difficulté technique 1 • Travail ne nécessitant pas de compétences particulières et pouvant être effectué par tous. Ce type de travail ne demande qu'un minimum d'habileté manuelle.

Niveau de difficulté technique 2 • Travail nécessitant une certaine habitude dans le maniement des outils et des matériaux. Ce type de travail nécessite un niveau moyen d'habileté manuelle.

Niveau de difficulté technique 3 • Travail exigeant des gestes de professionnel : une habileté supérieure à la moyenne est nécessaire.

Force 1 • Travail facile et simple, que chacun peut accomplir sans peine.

Force 2 • Travail nécessitant un minimum de force physique.

Force 3 • Travail réservé aux bricoleurs costauds qui n'ont pas peur de faire travailler leurs muscles !

Table des matières

Introduction à la maçonnerie

L'emploi de matériaux modernes et la mise en œuvre de nouvelles méthodes de construction ont révolutionné la maçonnerie traditionnelle. Les bricoleurs ont largement bénéficié de ces progrès : ils ont désormais à leur disposition des mortiers prêts à l'emploi et des matériaux parfois de grand format. Les matériaux préfabriqués disponibles dans plusieurs formats standard permettent de recourir à des techniques de travail adaptées aux bricoleurs, telle la réalisation d'un ouvrage de maçonnerie au mortier-colle, voire sans mortier du tout. De plus, de nombreux engins de chantier, qu'il est possible de louer, simplifient considérablement le travail.

Il suffit de choisir des matériaux adaptés afin d'obtenir les résultats optimaux. Les catalogues disponibles auprès des magasins de bricolage et de matériaux offrent une sélection des produits les plus courants. Il est préférable de vous adresser à des professionnels qui peuvent vous renseigner sur les matériaux les mieux adaptés à votre projet de construction.

Si vous êtes bricoleur, vous pouvez entreprendre des travaux de réparation, de rénovation ou d'assainissement, voire des travaux de plus grande envergure tels les travaux d'extension ou de construction d'un bâtiment. La construction d'une maison représente un travail de longue haleine ; c'est pourquoi les constructeurs proposent des maisons déjà construites où seuls certains travaux sont laissés à la charge de l'acquéreur, après accord des deux parties.

Tous les grands constructeurs font aujourd'hui appel à des conseillers techniques qualifiés que les particuliers peuvent également consulter si nécessaire. En ce qui concerne les projets de construction de grande envergure, les particuliers ont également besoin d'être conseillés par des hommes de terrain. Dans ce cas, il est préférable de coopérer avec un constructeur qui vend des maisons prêtes à bâtir et se charge de toutes les étapes de la construction. La coopération avec une entreprise de bâtiment locale peut également constituer une démarche fort utile ; les petites entreprises comprennent d'ailleurs très bien que les particuliers souhaitent construire eux-mêmes leur maison, en totalité ou en partie, afin de réaliser des économies. L'entreprise de bâtiment se charge des travaux les plus difficiles, par exemple les fondations ou l'ensemble du gros œuvre et le particulier se contente des travaux les plus faciles.

L'isolation thermique et acoustique

1 • Principe de l'isolation thermique. 2 • Bruit aérien.
3 • Bruit d'impact.

Il est important de prévoir une bonne isolation thermique et acoustique afin d'éviter quelques désagréments tels que des murs froids, des déperditions de chaleur et des nuisances sonores.

1 • N'importe quel matériau est caractérisé par un **coefficient de conductivité thermique** : il exprime la capacité du matériau à transmettre la chaleur. Plus ce coefficient est faible, plus le matériau est isolant. Pierre, brique et béton sont des matériaux conducteurs, alors que l'air et les isolants font barrage aux flux thermiques. C'est pourquoi tout procédé d'isolation repose sur le principe que l'air est un mauvais conducteur de chaleur. Par conséquent, plus un matériau possède de bulles d'air, plus il est léger et plus grande est sa capacité d'isolation thermique. On peut déterminer le pouvoir isolant, ou résistance thermique, des différents matériaux, en comparant leur conductivité thermique : elle est donnée par le flux de chaleur traversant un mètre carré de surface de ce matériau sur une épaisseur d'un mètre pour un degré d'écart de température entre l'intérieur et l'extérieur. Le coefficient de conductivité thermique est exprimé en watts par mètre par degré (W/m/°C). Si l'on souhaite comparer

des éléments de construction constitués de différentes structures en couches, on utilise le **coefficient de déperdition thermique**, appelé **coefficient K**, égal aux déperditions thermiques d'une paroi pour un degré d'écart de température entre l'intérieur et l'extérieur. Il se calcule en watt par mètre carré pour un degré Celsius (W/m^2/°C). Plus la conductivité thermique et le coefficient de déperdition thermique sont faibles, plus la capacité isolante du matériau est élevée.

La nouvelle réglementation thermique de 1988 pour les bâtiments d'habitation distingue :
• trois zones climatiques : H1, H2, H3.
• deux types de chauffage : le type 1 qui correspond aux chauffages électriques et le type 2 relatif aux chauffages utilisant une autre source d'énergie.

Elle vous donne à choisir parmi les quatre options proposées*.

Le tableau de la page suivante indique la masse volumique apparente de plu-

---

* Si vous souhaitez connaître le contenu de cette nouvelle réglementation thermique, renseignez-vous auprès des organismes compétents.

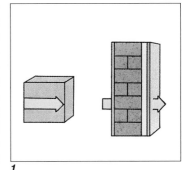

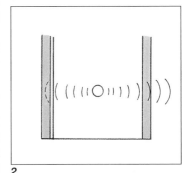

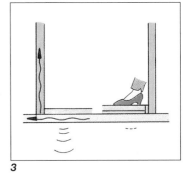

1

2

3

LES MATÉRIAUX DE CONSTRUCTION ET LEURS CARACTÉRISTIQUES				
matériau	masse volumique apparente (kg/m³)	coefficient de conductivité thermique (W/m²)	coefficient K (W/m²/°C) Épaisseur du mur : 36,5 cm	indice d'affaiblissement acoustique R (dB) Épaisseur du mur : 24 cm
brique	700-2000	0,18-1,20	0,45-2,10	44-53
béton cellulaire	400-800	0,12-0,23	0,31-0,60	29-44
brique silico-calcaire	1 000-2 000	0,50-1,30	1,11-2,20	49-53
béton léger	500-2 000	0,14-1,40	0,36-2,30	44-54
valeurs élargies, en partie par l'emploi de mortiers-colles ou de mortiers allégés				

sieurs matériaux de construction, leurs coefficients de conductivité thermique et de déperdition thermique.

Ces valeurs ne sont que des valeurs de comparaison approximatives, car un même matériau peut présenter des différences importantes liées à de nombreux facteurs.

2 • L'isolation acoustique d'une maison ou d'un appartement revêt également une importance considérable. On distingue généralement deux types de bruits : les bruits aériens et les bruits d'impact.

Les **bruits aériens** (voix, radio, télévision, appareils ménagers, etc.) sont émis dans l'air et transmis par celui-ci. Ils se propagent par la mise en vibration de l'air ambiant en ondes sphériques à partir d'une source ponctuelle et sont susceptibles de réflexion, d'absorption et de transmission par une paroi. Plus un matériau est lourd, plus son pouvoir d'isolation acoustique est élevé. Si vous utilisez des matériaux de faible masse, il est préférable d'envisager une isolation complémentaire, par exemple des matériaux d'absorption acoustique tels les fibres minérales ou végétales.

3 • Les **bruits d'impact**, en revanche, ont pour origine un choc : martèlement de talons de chaussures, chutes d'objets, déplacements de meubles, etc. Les bruits d'impact se propagent d'étage à étage et se dispersent par les parois et tuyaux du bâtiment. Il faut supprimer les bruits d'impact à l'endroit où ils se produisent en réalisant des chapes ou des dalles flottantes (voir page 78) ou en posant des panneaux composites.

Le niveau sonore indique l'intensité d'un son par rapport à une échelle de références. L'efficacité de l'isolation se matérialise par l'indice d'affaiblissement acoustique R du système complet (cloison + isolation). Niveau sonore et indice d'affaiblissement acoustique sont exprimés en décibels **(dB)**.

En ce qui concerne les bruits d'impact, la nouvelle réglementation acoustique de 1994 fixe le niveau maximal de pression acoustique reçu dans la pièce principale à 65 dB. Il est envisagé d'abaisser cette limite à 61 dB à partir du 1er janvier 1999. En ce qui concerne les bruits aériens, l'isolement minimal exigé est de 54 dB dans la pièce principale et de 51 dB dans la cuisine et la salle d'eau.

L'isolation contre l'humidité : l'étanchement

1 • Principe de l'isolation contre l'humidité (mur de cave).

Il est essentiel de protéger de l'humidité les ouvrages de maçonnerie. L'eau provenant du sol (eaux superficielles, nappe phréatique) remonte par capillarité dans les maçonneries, en particulier dans les murs enterrés. Ces remontées capillaires ainsi que l'action de la pluie et les condensations sont les causes principales de l'altération des constructions.

1-2 • Ce schéma représentant un ouvrage de maçonnerie construit sur une cave indique, par des lignes en pointillé, les endroits où il faut prévoir des barrières étanches pour empêcher les remontées d'humidité. En cas de remontées d'humidité dans une proportion considérée comme « normale », il convient de revêtir le parement intérieur d'un enduit et d'une peinture hydrofuge (enduit au mortier avec hydrofuge ou couches de produits bitumineux). On peut également appliquer le produit d'étanchéité directement sur la maçonnerie en une couche suffisamment épaisse. Au niveau du pied de mur, l'application d'un enduit au ciment constitue une protection suffisante contre l'humidité.

Si la construction est exposée à une humidité provenant des eaux de ruissellement ou des eaux souterraines, il est préférable de combiner plusieurs systèmes afin de constituer une barrière étanche. Si l'on veut lutter encore plus efficacement contre l'humidité, on peut réaliser un cuvelage en béton qui empêchera l'apparition de fissures. En cas d'utilisation d'un béton d'étanchement, il n'est pas nécessaire d'employer un autre produit d'étanchéité.

Afin de constituer une barrière horizontale à l'ascension de l'eau au niveau du sol de la cave (sous-sol), on peut poser une barrière étanche sur un lit de mortier, la recouvrir d'une couche de mortier et exécuter par dessus une maçonnerie. On peut réaliser une protection contre l'humidité semblable au niveau du sol (plafond de la cave).

3 • Si la maçonnerie risque d'être endommagée par des infiltrations d'eau trop importantes, on peut réaliser un drainage. Le but du drainage est de capter les eaux qui se trouvent dans le sol pour en éviter l'accumulation. Le principe du drainage consiste à créer autour du bâtiment une tranchée remplie de matériaux perméables qui captent les eaux et les évacue par un drain en pente. Des regards permettent le nettoyage des drains aux angles.

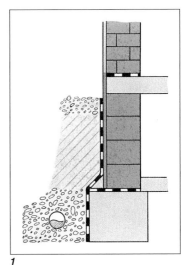

1

Dans les **maçonneries anciennes**, les dispositifs d'isolation contre l'humidité sont quasi-inexistants. Dépourvues de coupure de capillarité, ces maçonneries sont soumises à des remontées capillaires, fréquemment chargées de sels. Au contact de bactéries, certains sels deviennent salpêtre. La nature de la construction, l'ampleur des dégâts occasionnés par l'humidité et d'autres facteurs déterminent les mesures d'assainissement les plus adaptées.

4 • Dans le cas d'un bâtiment sans cave et d'une humidité légère, il existe

2 • Isolation d'un mur. 3 • Principe d'isolation contre l'humidité : l'étanchement.
4 • Pose d'un drain.

2

3

4

des solutions simples : mettre à nu la maçonnerie, appliquer des enduits d'imperméabilisation sur les murs intérieurs et extérieurs au niveau du sol et mettre en place un système de drainage.

Si les infiltrations d'humidité sont très importantes, d'autres remèdes doivent être envisagés. Une **barrière étanche horizontale supplémentaire** est réalisable à l'aide de différents procédés ou traitements : isolation par une tôle d'acier chromé ondulée que l'on insère dans les joints de maçonnerie, isolation par des dalles de bitume insérées dans une rainure pratiquée dans le mur par une tronçonneuse ou injection d'une solution chimique imperméable dans le mur préalablement percé de trous.

Une **barrière étanche verticale** est réalisée de préférence sur le parement extérieur, le mur pouvant alors sécher rapidement. Il suffit de retirer l'enduit abîmé et d'appliquer un nouvel enduit revêtu d'une peinture hydrofuge. Dans certains cas, il est possible de revêtir également le parement intérieur, mais l'eau risque de rester enfermée dans le mur. Plus les moyens à mettre en œuvre pour lutter contre l'humidité sont importants, plus il est nécessaire de consulter rapidement des professionnels qui

vous conseilleront sur les solutions appropriées.

L'application d'un enduit extérieur puis d'une peinture hydrofuge protège la maçonnerie des **eaux de ruissellement**. Il faut également prêter attention aux fissures et aux joints défectueux qui provoquent des infiltrations.

 Le conseil écologique

Une maçonnerie humide perd considérablement de son pouvoir isolant. L'amélioration de l'isolation contre l'humidité évite non seulement des réparations ultérieures onéreuses, mais contribue également à réaliser des économies d'énergie. De plus, vous aurez l'agréable surprise de voir votre facture de chauffage sensiblement réduite.

La vapeur d'eau emprisonnée dans une pièce constitue une autre source d'humidité et provoque des phénomènes de condensation, responsables de la formation de moisissures.

En effectuant vos travaux de maçonnerie, veillez à ne pas provoquer de ponts thermiques, par exemple en utilisant des matériaux à faible pouvoir isolant tels le béton.

Le respect des règles de sécurité sur le chantier

Les travaux de maçonnerie présentent de multiples dangers. Il est donc indispensable de prendre les mesures de sécurité nécessaires pour éviter blessures et accidents.

1 • Protégez vos mains en portant des **gants** résistants adaptés aux travaux à réaliser. Le maniement de matériaux de construction rugueux et de mortiers durs peut abîmer ou écorcher vos mains. Utilisez de préférence des outils ayant des manches en bois.

2 • Il est souvent recommandé de porter un **casque**, par exemple lors de travaux de démolition ou lorsque plusieurs personnes travaillent en même temps sur le même échafaudage. Veillez à ne pas laisser tomber de matériaux ni d'outils de l'échafaudage. Vous pouvez vous protéger efficacement des poussières engendrées par les travaux de démolition ou de fraisage en portant un **masque**. Des **lunettes** vous protégeront des éclats de mortier ou de pierre fréquents lors des travaux de perçage, fraisage ou démolition.

3 • Veillez à interdire l'accès au chantier au moyen d'une **plaque portant l'inscription « accès au chantier interdit »** et de grillage. Il est recommandé d'informer vos voisins des travaux que vous allez effectuer.

Si vous voulez réaliser vos travaux de maçonnerie en toute sécurité, respectez les règles suivantes :
• travaillez sans précipitation en prenant toujours votre temps, même pour des travaux simples, car rapidité et sécurité ne sont pas toujours conciliables pour le bricoleur ;
• soyez prudent afin d'éviter les chutes et n'utilisez que des échelles et des échafaudages adaptés ;
• évitez les accidents dus à l'électricité en utilisant uniquement des câbles adéquats, par exemple des câbles souples gainés de caoutchouc et des prises électriques anti-chocs et étanches. Protégez vos câbles pour ne pas les endommager ;
• ne laissez pas traîner câbles, outils ni matériaux, car vous risquez de trébucher ;
• déclouez vos bois de charpente afin de ne pas vous blesser et portez des chaussures de sécurité ;
• vérifiez, avant le début des travaux, si vous êtes couverts par une assurance responsabilité civile. Veillez également à ce que les aides bénévoles qui travaillent avec vous soient couvertes par ce type d'assurance.

1

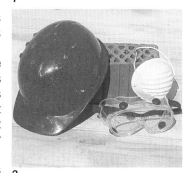

2

3

La statique

1 • Fondations. 2 • Semelle filante.
3 • Fondation sur radier.

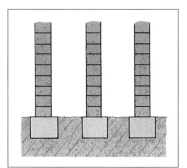

1

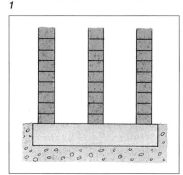

2

3

Les spécialistes de la statique effectuent des calculs pour étudier la stabilité d'une maison ou de certains éléments d'une construction. Ils calculent les charges et les contraintes qui s'exercent sur la charpente, la couverture, les armatures, les murs et les fondations...

1-3 • Les constructions reposent en effet sur des **fondations** dont le rôle est de reporter sur le sol les charges du bâtiment. Il existe différents types de sols : les « bons sols » qui possèdent une forte capacité de charge tels les sols argileux et rocheux, les sols qui ont une capacité portante moyenne tels les sols graveleux, et les « mauvais sols », marécageux. Le choix du type de fondations à réaliser dépend de la nature du sol, c'est-à-dire de la qualité du terrain et des charges à transmettre. Les **fondations sur semelles filantes** sont particulièrement adaptées aux sols possédant une bonne capacité de charge et peuvent présenter des dimensions variées. En règle générale, les fondations sur semelles filantes conviennent également aux constructions moins lourdes comme les garages ou les murs de clôture. En revanche, sur des sols dont la charge portante est plus faible, il est préférable d'envisa-

ger des **fondations sur radier** en béton armé. Les forces de pression verticales sont alors réparties sur toute la surface du sol. Les fondations doivent être réalisées à une profondeur suffisante pour être épargnées par le gel ; il faut en effet éviter que l'eau, susceptible de s'accumuler dans le sol et tendant à augmenter de volume sous l'effet du gel, exerce une pression sur la construction et finisse par l'endommager. Les fondations doivent donc être effectuées à une profondeur minimale de 80 à 120 cm, variable selon la région et le climat. Le maçon amateur peut lui-même réaliser des fondations sur semelles filantes ou sur radier, à condition que les charges à transmettre ne soient pas trop importantes ; en revanche, si les fondations sont soumises à de fortes charges, comme dans le cas d'une maison d'habitation, il est préférable de confier le travail à une entreprise spécialisée.

Les spécialistes de la statique doivent également étudier la stabilité de la **maçonnerie**. Les contraintes qui s'exercent sur la maçonnerie dépendent en effet de l'importance des charges, par exemple du nombre d'étages de la maison. Les matériaux de construction offrent des capacités de charge différentes et une plus ou

4 • Mur double.

moins grande résistance à la compression. En général, plus un matériau est solide et résistant aux charges, plus son pouvoir d'isolation thermique est faible. Il peut alors s'avérer nécessaire d'utiliser différents types de matériaux pour un même mur. Cependant, dans la plupart des cas, des matériaux offrant une capacité de charge relativement modeste suffisent amplement.

La fonction d'une maçonnerie est multiple. Les **murs porteurs**, principalement les murs extérieurs, supportent la charge principale et doivent donc offrir une épaisseur minimale de 20 cm environ.

Les murs porteurs intérieurs, c'est-à-dire les **murs de refend**, sont des murs de séparation et de soutien dont l'épaisseur minimale standard est de 15 cm environ. Les **murs non porteurs**, dont les épaisseurs sont inférieures à 15 cm, peuvent être de simples cloisons dénuées de toute fonction statique.

4 • Un **mur double** est un mur constitué de deux parois d'épaisseur voisine séparées par une lame d'air ou un isolant. C'est le plus souvent la paroi intérieure qui est porteuse. La paroi extérieure est souvent composée de briques ordinaires (générale-

ment pleines) ou de briques silicocalcaires. Selon le type de construction, l'espace entre les deux parois est rempli partiellement d'un matériau isolant thermique pour lequel on doit prévoir une ventilation suffisante (vide d'air laissé entre l'isolant et la maçonnerie) ou laissé totalement vide. Les parois extérieure et intérieure sont reliées par des attaches de retenue (au moins cinq attaches par mètre carré).

Les **murs isolés,** par exemple les murs de clôture, doivent présenter une bonne stabilité et ne doivent pas dépasser une certaine hauteur. Selon l'article 663 du Code civil, la hauteur d'un mur de clôture est fixée conformément aux règlements particuliers ou aux usages constants et reconnus et, à défaut, tout mur de séparation doit avoir au moins 3,20 m de hauteur, y compris le chaperon, dans les villes de 50 000 habitants et plus, et 2,60 m dans les autres. Il y a toutefois des exceptions : à Paris, par exemple, la hauteur totale ne doit pas dépasser 2,20 m. Le Plan d'occupation des sols (P.O.S.) d'une commune, fixe également des hauteurs autorisées. Si vous souhaitez obtenir des renseignements plus complets, adressez-vous à la mairie, car les règlements diffè-

rent d'une région à l'autre. Quant aux murs bâtis largement au-dessus du niveau du sol, tels les murs de terrasse, leur hauteur autorisée est moindre en raison de la charge élevée due à l'action du vent.

En vue d'améliorer la stabilité et la résistance aux charges des constructions en béton, on peut ajouter au béton une armature métallique constituée de fers à béton ou de

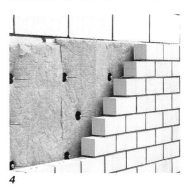

4

treillis soudé : on parle alors de **béton armé**. Les fondations sur semelles filantes ou les dalles de béton d'une terrasse peuvent être facilement renforcées par une armature d'acier. Ce travail est tout à fait à la portée d'un bricoleur. Ces deux types d'armature (fers à béton et treillis soudé) se découpent à l'aide d'une cisaille ou d'une scie à métaux.

La législation relative à la construction

En règle générale, les travaux de construction doivent faire l'objet d'une demande de permis de construire ou d'une déclaration de travaux. Ces démarches sont obligatoires pour toute construction nouvelle, mais également pour des travaux de réfection, d'agrandissement ou d'aménagement. Il existe aujourd'hui des procédures simplifiées.

Le contrôle porte principalement sur le respect des règles de construction, généralement lors de la réception des travaux, par exemple après l'achèvement du gros œuvre. Les contrôles concernent également l'exécution des travaux, qui doit être conforme aux règles de l'art, le respect de la réglementation thermique en vigueur et l'application des normes de sécurité relatives, par exemple, à la construction d'une cheminée (conduit et foyer), au stockage du mazout, etc.

Le respect de l'ensemble des normes de sécurité revêt une grande importance, car il permet d'éviter tout conflit avec votre compagnie d'assurance en cas de sinistre. En effet, en cas de non-respect de ces normes, l'assureur peut refuser de vous indemniser. Les contrôles peuvent

également s'appliquer au respect des contraintes locales d'implantation, du plan d'occupation des sols, de l'intégration au site, etc.

En cas de projets et de travaux de grande envergure, une récente loi fait obligation à tout maître d'ouvrage de recourir aux services d'un **architecte** lorsque la surface habitable du bâtiment projeté dépasse 170 m^2. L'architecte est l'homme de l'art qui assure l'intégration dans le site et établit les plans d'organisation de la construction. Son expérience, ses connaissances et ses conseils vous seront fort utiles. L'architecte peut se faire assister par un ou plusieurs ingénieurs-conseils.

Plus un projet de construction est important, plus il est recommandé de coopérer avec des spécialistes, concepteurs et réalisateurs. La conclusion d'un contrat avec une entreprise spécialisée et la répartition efficace des travaux constituent souvent la meilleure solution. Le maître d'ouvrage (vous en l'occurrence) peut ainsi bénéficier de l'expérience et des conseils précieux des professionnels.

Il est souvent nécessaire de se faire aider pour réaliser certains travaux de

construction. Les **aides bénévoles** (amis, connaissances, voisins) sont autorisées par la loi, contrairement au travail clandestin qui consiste à exercer une activité professionnelle non déclarée et qui échappe aux réglementations en matière sociale, fiscale, etc.

Les personnes qui vous aident à titre bénévole doivent cependant être couvertes par une **assurance responsabilité civile**. Vous également, cela va sans dire. Déclarez votre projet de construction avant de commencer les travaux. En cas d'accident, prévenez immédiatement votre compagnie d'assurance. Celle-ci vérifiera toutefois que vous avez bien respecté les règles préventives contre les accidents.

☞ **Le conseil du pro**

Ayez toujours une trousse de secours à portée de main lorsque vous effectuez vos travaux de maçonnerie. Elle vous sera fort utile non seulement en cas de blessure grave, mais également pour de petits bobos (écorchures, etc.).

Les matériaux et les éléments de construction

1 • Brique alvéolaire, brique pleine, béton cellulaire, brique silico-calcaire, béton de ponce, béton d'argile expansée.

1

Différents types de matériaux possédant chacun des propriétés particulières sont utilisés pour réaliser des ouvrages de maçonnerie. Les briques ordinaires destinées à la construction de parois ultérieurement revêtues d'un enduit sont appelées **briques à enduire**. Les **briques de parement**, résistantes aux intempéries, et les briques silico-calcaires sont destinées à rester apparentes. La maçonnerie traditionnelle est réalisée à l'aide de joints de maçonnerie en mortier. On distingue les joints de lit, horizontaux, et les joints de tête, verticaux. Les matériaux possédant des perforations adaptées à la diffusion du mortier peuvent être assemblés sans joints de mortier : les perforations sont remplies ultérieurement. Les matériaux pourvus d'une face de pose rainurée ou crantée ne nécessitent pas l'utilisation d'un mortier de liaisonnement. Les produits manufacturés de dimensions standards pour murs et cloisons sont appelés **blocs**. Ils peuvent être liaisonnés avec un mortier-colle, mortier semblable à une colle pour carrelage que l'on applique à l'aide d'une truelle dentée.

1 • Les matériaux de maçonnerie doivent offrir une résistance à la compression élevée, surtout s'ils sont utilisés pour la construction de murs porteurs. Le pouvoir isolant constitue également une qualité majeure pour un matériau utilisé dans une habitation chauffée. Afin d'améliorer leur capacité d'isolation thermique, les matériaux sont perforés et rendus poreux. En revanche, une isolation acoustique efficace nécessite des matériaux lourds et pleins. La photo ci-dessus présente la structure de différents matériaux de maçonnerie. De gauche à droite et de haut en bas : la brique alvéolaire isolante, la brique pleine, le béton cellulaire, la brique silico-calcaire, le béton de ponce et le béton d'argile expansée.

Les données relatives à la masse volumique apparente et au pouvoir d'isolation thermique et acoustique des différents matériaux sont indiquées dans le tableau de la page 8.

2 • Les **briques** sont des produits de terre cuite. Les **briques pleines** sont très lourdes, possèdent un faible pouvoir d'isolation thermique mais une bonne capacité d'isolation acoustique. Les briques pleines réfractaires sont des briques particulièrement résistantes à la chaleur et au feu.

2 • Brique de terre cuite alvéolée. 3 • Bloc de béton cellulaire.

2

3

Les **briques perforées** et les **briques creuses** possèdent un nombre de perforations plus ou moins important qui contribue à les alléger considérablement. Afin d'améliorer sa capacité d'isolation thermique, on ajoute à la brique non cuite des perles de polystyrène expansé ou des copeaux de bois. La brique cuite ensuite à haute température possède un grand nombre d'alvéoles (brique alvéolaire isolante dite brique « G »).

Les propriétés des briques sont multiples : les briques alvéolaires constituent un bon isolant thermique et les briques pleines un bon isolant acoustique. Quant aux briques réfractaires, elles constituent de très bons pare-vapeurs.

Sur la photo sont représentées de gauche à droite, à partir de la rangée du fond : des briques alvéolaires, des briques munies de perforations pour la diffusion du mortier, des briques creuses, des briques pleines et des briques réfractaires.

3 • Les blocs de **béton cellulaire** nécessitent toujours l'application d'une couche d'enduit protectrice. Le béton cellulaire est composé de sable siliceux (à granulométrie fine), de ciment et de chaux et possède une structure alvéolaire qui le rend léger

4 • Briques silico-calcaires. 5 • Parpaings.

et lui confère un bon pouvoir isolant contre la chaleur et le froid.

Outre les blocs de béton cellulaire traditionnels à maçonner, il existe des blocs de béton cellulaire à coller qui comportent généralement des faces d'about en forme de rainure et languette. D'une mise en œuvre rapide et facile, ils constituent le matériau idéal des bricoleurs.

Sur cette photo, des blocs de béton cellulaire de grand format à rainure et languette pour emboîtements sans mortier encadrent des blocs de petit format utilisés pour des cloisons légères.

4 • Les **briques silico-calcaires** sont fabriquées par cuisson en autoclave d'un mélange comprimé de silice fine et de chaux. Blanches et lisses, elles sont lourdes et peu isolantes contre la chaleur et le froid, mais possèdent un bon pouvoir d'isolation acoustique grâce à leur structure pleine. Les briques silico-calcaires de grand format et comportant un nombre réduit de perforations sont appelées **blocs perforés**, alors que celles qui possèdent des perforations plus nombreuses sont des **blocs creux**.

Les briques silico-calcaires peuvent être utilisées soit en parement, soit pour leurs qualités réfractaires.

4

5

Sur la photo, la rangée du fond est constituée de briques silico-calcaires de grand et moyen formats, certaines sont à rainure et languette et possèdent des perforations étudiées pour la diffusion du mortier. La rangée en premier plan présente des briques silico-calcaires pleines ou perforées de petit format.

5 • On désigne par **béton léger** le mélange constitué de sable et de ciment auquel on ajoute des agrégats légers et poreux, telles des billes de polystyrène expansé ou d'argile expansée, afin d'obtenir des parois au pouvoir isolant thermique élevé. Les **bétons de ponce** contiennent de la ponce, roche volcanique poreuse, légère et très dure ; les **bétons d'argile expansée** renferment des billes d'argile expansée. Les **blocs creux de béton léger** présentent une section nette au plus égale à 60 % de la section brute et contiennent un ou plusieurs rangs d'alvéoles.
La photo montre des blocs de béton léger pleins et creux de grand format (rangée du fond) et des modules complémentaires de petit format (rangée en premier plan) : des parpaings.

6 • Les **blocs de béton ordinaire**, c'est-à-dire les **bétons de granulats courants** ressemblent en partie aux blocs en béton de granulats légers, mais ils sont lourds et possèdent un très mauvais pouvoir d'isolation thermique.

7 • On désigne par **pierres naturelles** les pierres que l'on trouve à l'état naturel, dont il existe de nombreuses variétés : pierre de chaux, dolomite, grès, etc. Les pierres naturelles possèdent une faible capacité d'isolation thermique. C'est pourquoi on les utilise principalement à des fins décoratives. Les pierres naturelles peuvent être assemblées sans mortier ou être unies par un liant. Elles peuvent être travaillées ou laissées à l'état naturel. Pour la maçonnerie extérieure, il est indispensable de choisir des pierres résistantes au gel.
Les **pavés de verre** ne sont pas des matériaux de maçonnerie au sens strict du terme, puisqu'ils ne peuvent être soumis qu'à de très faibles charges. En règle générale, les maçonneries constituées de pavés de verre doivent être recouvertes d'un linteau. Les pavés de verre sont surtout décoratifs et doivent être travaillés de préférence avec un mortier vendu prêt à l'emploi.
La plupart des matériaux sont hydrophiles, ce qui augmente considérable-

ment leur poids et leur temps de séchage. Les matériaux de construction doivent donc toujours être **stockés à l'abri de l'humidité**, sur des palettes, par exemple, et recouverts d'une feuille de protection.

Outre les matériaux présentés ci-dessus, il existe des **blocs spéciaux** qui ne sont fabriqués que par certaines entreprises. Il existe des **briques spéciales** pour la maçonnerie apparente présentant des formes variées (brique radiale, brique de forme, brique « coin » ou « couteau », brique d'appui, quart-de-rond, plaquettes de parement, etc.) et des briques de chaperon destinées à coiffer les murs de clôture. Des blocs accessoires peuvent être employés pour des points particuliers de la maçonnerie : blocs d'angle, blocs-poteaux, blocs-linteaux, etc. Il existe aussi des **blocs coffrants**, éléments creux servant de coffrage perdu au béton que l'on coule dans leurs alvéoles.

8-9 • Un certain nombre de **pièces de construction** de grande taille facilitent les travaux : les ouvertures de porte et de fenêtre sont surmontées de **linteaux**. On distingue les linteaux porteurs et les linteaux non porteurs, les linteaux isolés et non isolés. En outre,

6 • Parpaings en béton. 7 • Pierres naturelles.
8 • Réalisez des linteaux si vous utilisez des pavés de verre. 9 • Linteau terminé.

il existe des **linteaux en cintre préfabriqués** spécialement conçus pour les ouvertures de porte ou de fenêtre cintrées. On trouve également des **volets roulants**, isolés ou non.

Des pièces préfabriquées à assembler permettent au bricoleur de construire facilement un escalier ; des cheminées prêtes à monter disponibles en pièces détachées existent également dans le commerce. En outre, il est possible de réaliser des plafonds en dur avec des dalles pour plafond et des poutrelles. Enfin, il existe des éléments préfabriqués déjà recouverts d'un enduit.

☞ Le conseil du pro

Choisissez uniquement des matériaux et des pièces de construction parfaitement compatibles. Vous éviterez ainsi des dommages ultérieurs dus à l'incompatibilité des matériaux et vous vous épargnerez bien des difficultés lors de leur mise en œuvre.

En ce qui concerne les matériaux, vous n'avez que l'embarras du choix ! Si vous n'avez pas de préférence pour un matériau particulier, considérez les

éléments suivants **avant d'effectuer votre choix** :
• la technique de travail que vous envisagez d'utiliser. La méthode la plus simple consiste à assembler des éléments de maçonnerie avec un mortier-colle, facile et rapide à mettre en œuvre ;
• la finalité du mur que vous souhaitez construire, dont dépendront son épaisseur et les matériaux qui le composeront ;
• les problèmes d'ordre statique. Si vous doutez de la parfaite stabilité de la construction projetée, demandez conseil à des professionnels ;
• le temps que vous souhaitez consacrer à vos travaux. Si vous désirez atteindre rapidement votre objectif, choisissez de préférence des matériaux et des pièces de grand format.

7

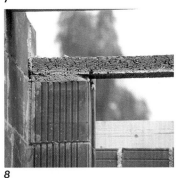

8

6

9

Les dimensions des matériaux et les épaisseurs minimales des murs

Les dimensions des briques

Les caractéristiques dimensionnelles des différents types de briques sont présentées dans le tableau ci-contre.

Les dimensions des blocs de béton

Les dimensions d'appellation indiquent le volume de mur réalisé à l'aide d'un bloc, en y incluant l'épaisseur des joints, mais pas celle des enduits éventuels. Exprimées en centimètres, elles sont prises dans la série des nombres suivants :
- pour les épaisseurs : 5 - 7,5 - 10 - 12,5 - 15 - 17,5 - 20 - 22,5 - 25 - 27,5 - 30 - 32,5 ;
- pour les hauteurs : 20 - 25 - 30 ;
- pour les longueurs : 30 - 40 - 50 - 60.

Les dimensions de fabrication sont déduites des dimensions d'appellation en retranchant les épaisseurs des joints horizontaux et verticaux. Exprimées en centimètres, elles sont prises dans les séries de nombres suivants :
- pour les épaisseurs : identiques aux épaisseurs d'appellation ;
- pour les hauteurs : 19 - 24 - 29 ;
- pour les longueurs : 29,4 - 39,4 - 49,4 - 59,4.

Un joint de mortier horizontal ou joint de lit a une épaisseur comprise entre 1 et 1,2 cm ; un joint vertical ou joint montant a une épaisseur comprise entre 0,6 et 1 cm.

Le tableau ci-contre indique les épaisseurs minimales (en cm) des murs en maçonneries enduites :

BRIQUES PLEINES OU PERFORÉES	Épaisseur x largeur x longueur
	4 x 10,5 x 22 4 x 5 x 22
	5,5 x 10,5 x 22 5,5 x 5 x 22
	6 x 10,5 x 22 6 x 5,5 x 22
	5,5 x 10,5 x 33 6 x 6 x 22
BRIQUES CREUSES *briques pour cloison*	**E x H x L (*)**
	3 x 15 x 30 5 x 20 x 30
	3,5 x 15 x 30 5 x 20 x 40
	4 x 15 x 30 5 x 30 x 60
	5 x 15 x 30 5 x 40 x 50
	5 x 15 x 40 6 x 15 x 30
briques de moyen et grand format	8 x 15 x 30 20 x 20 x 40
	8 x 20 x 40 25 x 20 x 40
	11 x 15 x 30 30 x 20 x 40
	11 x 16 x 30
	11 x 20 x 40
	15 x 20 x 40
briques alvéolaires	20 x 20 x 40 27,5 x 20 x 40
	20 x 25 x 40 27,5 x 20 x 50
	22 x 20 x 40 27,5 x 20 x 57
	22,5 x 20 x 40 27,5 x 25 x 40
	22,5 x 20 x 57 30 x 20 x 40
	27 x 20 x 40 30 x 20 x 57

(*) E dimension dans le sens de l'épaisseur de la maçonnerie
H dimension dans le sens de la hauteur de la maçonnerie
L dimension dans le sens parallèle à la maçonnerie

MATÉRIAUX	ÉPAISSEUR DES MURS
briques pleines ou perforées	22
blocs pleins ou creux en béton ordinaire	20 ou 27,5 ou 32,5
briques creuses	22,5 ou 27,5
blocs pleins en béton cellulaire	20 ou 27,5

Les liants

1 • Chaux, plâtre et ciment.

Les liants ou matériaux de liaison servent à conglomérer les différents composants des mortiers et des bétons et leur conférer ainsi différentes propriétés.

La **chaux** est obtenue par cuisson à très haute température de calcaire et sert principalement à la fabrication du mortier. Après avoir été cuite au four, la chaux est éteinte à l'eau, puis déshydratée et pulvérisée. Les mortiers de chaux, plus « gras » que les mortiers de ciment, sont le plus souvent utilisés comme enduits de finition. Les mortiers de chaux ne durcissent que sous l'effet du dioxyde de carbone de l'air, ce qui demande quelques semaines. Pendant cette période, ils doivent donc rester au contact de l'air.

Afin d'obtenir une plus grande facilité de mise en œuvre, on fabrique de la chaux hydraulique qui durcit au contact de l'eau et produit un mortier plus résistant.

Les ciments sont les liants les plus résistants. Leurs applications sont nombreuses et variées : ils entrent dans la composition des bétons, des mortiers pour enduits, pour maçonneries et pour chapes. Le Ciment Portland Artificiel (CPA) est le ciment le plus couramment utilisé. Par opposition aux ciments naturels, le Ciment Portland désigne les ciments hydrauliques obtenus par mouture de clinkers résultant de la cuisson d'un mélange précis de calcaire, de silice et d'alumine. Une résistance minimale à la compression (par exemple 35) suffit pour les travaux courants réalisés par un maçon amateur. La présence d'un « R » à côté de la classe du ciment signifie « prise rapide ». Outre le Ciment Portland Artificiel, il existe des Ciments Portland Composés (CPJ). On trouve également des Ciments pouzzolaniques (CPZ), des Ciments au laitier et aux cendres (CLC), des Ciments de laitier à la chaux (CLX) et des Ciments de haut fourneau (CHF). Chaque classe de ciment correspond à des emplois particuliers.

Le **plâtre** est un matériau qui provient du broyage et de la cuisson du gypse donnant une poudre possédant la propriété de se recombiner à l'eau. Le plâtre est sensible à l'humidité. Son emploi se limite donc à la maçonnerie intérieure.

Les liants naturels traditionnels peuvent être remplacés, en totalité ou en partie, par des liants synthétiques. C'est ainsi qu'aujourd'hui de nombreux mortiers prêts à l'emploi contiennent, outre leurs composants classiques, des **adjuvants** tels les retardateurs de prise, les entraîneurs

1

d'air et les rétenteurs d'eau. Ces adjuvants améliorent considérablement les propriétés des mortiers.

Sur cette photo sont représentés de la chaux hydratée (en haut), du plâtre (à gauche) et du ciment (à droite).

☞ Le conseil du pro

Après leur ouverture, les liants deviennent rapidement inutilisables s'ils sont au contact de l'humidité. En effet, l'humidité de l'air suffit à altérer le ciment, le plâtre et la chaux. Il est donc préférable de conserver les liants à l'abri de l'air, par exemple dans des pots de peinture vides bien fermés.

Les mortiers pour maçonnerie, enduits et chapes

1 • Sable. 2 • Mortiers. 3 • Mortiers prêts-à-l'emploi.

1

2

3

Le mortier est un mélange de sable, de liant hydraulique et d'eau. Il existe des mortiers qui servent à la fois à assembler des éléments de maçonnerie et à réaliser des enduits, d'autres qui ne sont destinés qu'à un seul usage.

1 • Le constituant principal de la plupart des mortiers est le **sable**. La quantité de sable utilisée et sa qualité déterminent la nature et les propriétés du mortier réalisé. Le gâchage d'un mortier ordinaire nécessite des sables fins, moyens ou gros dont les dimensions sont comprises entre 0 et 6,3 mm.

2 • Avant de gâcher le mortier, c'est-à-dire de mélanger intimement les différents composants, il faut procéder au **dosage** des différents constituants. Il est préférable que le liant et les granulats aient une granulométrie homogène. N'utilisez que de l'eau claire, propre et douce, la plus adaptée étant l'eau destinée à la distribution publique. Il est plus économique de confectionner son mortier sur place lorsqu'il s'agit de quantités importantes, car les mortiers prêts à l'emploi sont tout de même chers. Ils sont toutefois idéals pour les petits travaux.

☞ Le conseil du pro

Les liants et les mortiers sèchent la peau et abîment les mains. Munissez-vous de gants lorsque vous travaillez les matériaux et enduisez toujours vos mains d'une crème avant et après le travail.

3 • Tous les types de mortier sont disponibles prêts à l'emploi. Les **mortiers secs prêts à l'emploi** présentent de nombreux avantages : il n'est plus nécessaire d'acheter séparément les différents constituants (sable et liant), il suffit d'ajouter l'eau sur place pour mouiller le mélange et, avantage majeur, le produit est de qualité constante.

Les **différentes classes de mortier** sont désignées en fonction du liant qui les compose et leur confère différentes propriétés. Les mortiers de chaux sont moins résistants que les mortiers de ciment, mais sont de bons régulateurs hygrométriques. Les mortiers de ciment sont les plus résistants. Quant aux mortiers bâtards, réalisés avec un mélange de ciment et de chaux, ils équilibrent les qualités et les défauts des autres mortiers. Avec une plus grande pro-

4 • Principe d'enduisage d'un mur. 5 • Plâtre appliqué à la truelle.
6 • Crépi.

portion de ciment, le mortier sera plus résistant ; avec une quantité plus élevée de chaux, il sera plus souple et plus facile à mettre en œuvre.

Le mortier de plâtre est un mélange prêt à l'emploi de gypse, de chaux et de sable dont les granulats offrent différentes dimensions. Il constitue un bon régulateur hygrométrique et convient uniquement aux enduits intérieurs.

Les mortiers contenant une forte proportion de liants synthétiques (résines plastiques) sont appelés mortiers organiques et ne sont utilisés que pour réaliser des enduits.

Les mortiers pour maçonneries

Les mortiers utilisés pour assembler et liaisonner les éléments de maçonnerie doivent être avant tout suffisamment résistants pour supporter des charges importantes. Ils doivent également niveler les inégalités de surface des maçonneries. Les mortiers de chaux sont moins résistants et par conséquent plus adaptés aux murs non porteurs. Les mortiers bâtards sont suffisamment résistants pour la plupart des travaux de maçonnerie. Quant aux mortiers de ciment, ils sont capables de supporter de lourdes charges et conviennent donc particulièrement à la maçonnerie porteuse.

Les mortiers de ciment, susceptibles de « faïencer », peuvent être mélangés à une faible quantité de chaux hydratée (1/6 du ciment environ) sans diminuer la quantité de ciment. Le dosage des différents mortiers suivant leur mise en œuvre est résumé dans le tableau de la page 25.

Ces mortiers à maçonner sont tous disponibles prêts à l'emploi. Seuls le **mortier-colle** et le **mortier allégé** sont disponibles uniquement prêts à l'emploi.

Les mortiers pour enduits

Les mortiers pour enduits remplissent plusieurs rôles :
- un rôle de protection du gros œuvre contre les intempéries ; ils empêchent les maçonneries de se détériorer au fil des ans et offrent une bonne isolation contre l'humidité et les ponts thermiques ;
- un rôle de « dressage » : ils permettent d'obtenir des surfaces unies et parfaitement planes ;
- un rôle esthétique (aspect, couleur).

Les mortiers pour enduits sont également répartis en différentes classes : les enduits au mortier de chaux, les enduits au plâtre, les enduits au mortier de ciment, les enduits au mortier bâtard et les enduits aux liants orga-

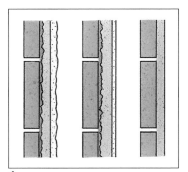

4

5

6

niques synthétiques pour l'intérieur et l'extérieur.

On distingue généralement les enduits destinés à l'extérieur et ceux destinés à l'intérieur. Les **enduits extérieurs**, dits **enduits de façades**, sont exposés aux intempéries ; ils doivent donc être moins hydrophiles. Les **enduits intérieurs**, en revanche, doivent pouvoir absorber et restituer l'humidité de l'air ambiant excédentaire.

Les enduits classiques sont généralement des **enduits multicouche**. Les couches doivent présenter une résistance décroissante, c'est-à-dire que la première couche, le gobetis doit être la plus résistante et la dernière couche, la couche de finition, est en général la moins résistante.

La composition des enduits varie fortement selon leur utilisation. Nous ne citerons donc que les dosages les plus couramment employés pour les enduits extérieurs et intérieurs. La **composition habituelle d'un enduit extérieur** est la suivante : gobetis en mortier de ciment, corps d'enduit en mortier bâtard et couche de finition en résine synthétique. La **composition standard d'un enduit intérieur** est la suivante : gobetis en mortier de

ciment, corps d'enduit en mortier de chaux, en mortier de ciment ou en mortier bâtard et couche de finition en résine plastique.

Outre les enduits classiques appliqués en plusieurs couches, les fabricants proposent des mortiers prêts à l'emploi applicables en une seule couche appelés **enduits monocouches**. Ils peuvent être utilisés pour l'intérieur comme pour l'extérieur. Il s'agit soit d'enduits à base de résine synthétique, soit d'enduits au plâtre.

4-6 • Les enduits peuvent offrir plusieurs **aspects**. Parmi les enduits particulièrement adaptés aux murs extérieurs, il existe les enduits jetés à la truelle dits « **jeté-truelle** », permettant diverses structures et reliefs, et les enduits appliqués à la taloche dits **enduits talochés** que l'on étale d'un mouvement rapide et circulaire. Les enduits appliqués au pistolet par projection pneumatique, dits « brut de projection », contiennent des granulats de différentes dimensions qui confèrent à l'enduit une texture lisse ou rugueuse.

On trouve également dans le commerce des enduits à appliquer à la **spatule** ou au **rouleau**. Il existe aussi

des enduits prêts à l'emploi (barbotines) applicables en couche mince à l'aide d'une **brosse**, qui laissent la structure de la maçonnerie encore visible. Les enduits prêts à l'emploi présentent de grands avantages : il en existe une gamme très étendue selon l'aspect souhaité et ils présentent toujours une composition homogène. Citons également les enduits teintés dans la masse, offrant différents coloris et les enduits à teinter soi-même. La liste des enduits disponibles dans le commerce ne s'arrête pas là : il existe également toute une gamme d'enduits spéciaux tels les **enduits d'accrochage**, spécialement destinés au dégrossissage qui permettent une meilleure adhérence sur le support. Ils contiennent une quantité importante de plâtre et conviennent particulièrement aux murs en mauvais état. Les **enduits légers**, dits **isolants**, contiennent des matériaux à pouvoir isolant élevé, le plus souvent des petites billes de polystyrène expansé. Ils sont considérés comme des compléments d'isolation thermique par l'extérieur et doivent être appliqués en une couche de 5 cm d'épaisseur. Les **enduits d'étanchéité** sont des mortiers hydrofuges conçus pour empêcher les infiltrations d'eau dans les murs de façade. Outre ces enduits

MORTIERS À MAÇONNER ET À ENDUIRE (DOSAGES HABITUELS EN MESURES)					
	chaux hydratée	liants pour maçonneries et enduits/ chaux hydraulique	ciment	sable	emploi
mortier de chaux	1 dose			3 doses	mortier à maçonner pour murs à faible fonction porteuse / mortier pour enduits intérieurs
mortier bâtard	1 dose	1 dose	2 doses	3 doses 8 doses	mortier universel : mortier à maçonner pour tous travaux courants / mortier pour enduits intérieurs et extérieurs
mortier de ciment			1 dose	4 doses	mortier pour maçonneries porteuses / mortier à enduire pour murs de soubassement et en élévation
mortier de plâtre	mortier prêt à l'emploi				mortier pour enduits intérieurs
mortiers organiques	mortiers prêts à l'emploi				mortiers pour enduits intérieurs et extérieurs ou uniquement pour l'intérieur (2 types de mortier organique)

pour 100 litres de mortier il faut environ 120 à 130 litres de sable et une quantité adéquate de liant.
Les mortiers gâchés sur place peuvent être travaillés pendant environ 1 heure (selon les conditions climatiques).

spéciaux, on trouve aussi dans le commerce un choix important de **bouche-pores** et d'enduits spécialement conçus pour de petites réparations : **enduits garnissants**, **enduits de rebouchage** des fissures, etc. Enfin, il existe des peintures spéciales servant à donner un aspect particulier au mur et des **enduits de ragréage** destinés à rattraper les inégalités de surface.

Les mortiers pour chapes

Une chape est un ouvrage en mortier de ciment surfacé qui remplit une double fonction : mettre le sol au niveau général voulu, ou en retrait du nu final nécessité par la pose éventuelle d'un revêtement, et lui donner une bonne planéité générale. La confection d'une chape en ciment est un travail tout à fait à la portée d'un maçon amateur. Les composants du mortier pour chape sont dosés de la façon suivante : une part de ciment pour trois parts de sable. Le mortier ne doit être que légèrement mouillé afin d'éviter le bullage. Les mortiers pour chapes sont également disponibles prêts à l'emploi. En outre, il existe de nombreux bouche-pores et produits de colmatage que l'on peut utiliser pour réparer des chapes abîmées ou usées.

Le béton

1 • Ciment, granulats, béton sec. 2 • Consistance ferme, plastique, très plastique, fluide.

Le béton est un matériau qui résulte du mélange de ciment, d'eau et de granulats. Les granulats qui entrent dans la composition du **béton ordinaire** (béton de granulats courants) sont des matériaux naturels (sable, gravier) constitués de grains de dimensions variées. On emploie des bétons de différentes classes de résistance selon l'utilisation envisagée.

1 • La résistance du béton dépend de la quantité de ciment qu'il contient, de la grosseur et de la nature des granulats, du volume d'eau ajouté et de sa mise en œuvre. Il faut doser correctement l'eau de gâchage, car une quantité d'eau trop importante produit des bétons peu résistants (bétons « soupe »). Afin d'améliorer la résistance du béton et assurer une plus

grande stabilité aux éléments de construction, on ajoute une armature métallique constituée de treillis soudé ou de barres d'acier : le béton obtenu est appelé **béton armé**.
Les différentes **classes de résistance** du béton sont désignées par la lettre B suivie de la valeur de cette résistance. Elles précisent la contrainte de rupture du bloc de béton. Les classes de résistance du béton les plus courantes sont : B 16 ; B 20 ; B 25 ; B 30 ; B 35 et B 40. Par exemple, B 40 signifie que le bloc de béton doit être capable de supporter une contrainte de 40 kg/cm^2 avant de se rompre. Pour un non-spécialiste, il est pratiquement impossible d'obtenir un béton appartenant à une classe de résistance précise. Si une classe de résistance déterminée vous a été recommandée, il est préférable de

recourir à du béton prêt à l'emploi. Les différents composants du béton sont dosés en kilogramme, en particulier le ciment. En effet, le dosage à la pelle est imprécis et la masse volumique du ciment diffère selon qu'il est compacté ou non, c'est-à-dire enfermé dans un sac ou versé dans un bac à gâcher, par exemple. Le dosage en kilogramme est toutefois difficile à réaliser par un bricoleur amateur et sur un site de construction réduit. Le tableau ci-après indique les différents dosages réalisés en fonction de l'utilisation envisagée, à condition que le ciment ne soit pas à l'état compact mais dispersé (par exemple versé dans une auge). Les constituants (ciment, gravier) doivent être de qualité homogène. Les différentes résistances du béton obtenues correspondant aux différents dosages ne sont que des valeurs approximatives.

2 • Il existe différentes **classes de consistance** du béton dont dépend sa plus ou moins grande ouvrabilité. En règle générale, on distingue quatre classes de consistance, caractérisées par l'affaissement du béton :
- **ferme (F)**,
- **plastique (P)**,
- **très plastique (TP)**,
- **fluide (Fl)**.

1   2

COMPOSITION HABITUELLE DES BÉTONS					
type de mélange	ciment	gravier	domaines d'utilisation	classe de résistance	ciment pour 1 m^3 de béton
mélange universel	1 dose	4 doses	Tous les travaux courants, les terrasses, les marches d'escalier, etc. Ce mélange est facile à réaliser.	B 15	320 kg
mélange pour fondations	1 dose	5 doses	Tous les ouvrages en béton réalisés sous terre (fondations sur semelles filantes, soubassements, poteaux, piliers).	B 10	230 kg
mélange très résistant	1 dose	3 doses	Les éléments exposés aux intempéries, les dallages extérieurs, etc.	B 25	350-400 kg

 Le conseil de sécurité

Tous les travaux de bétonnage pour les maçonneries porteuses sont difficiles à mettre en œuvre. D'autres solutions, plus faciles à mettre en œuvre, s'offrent aux bricoleurs, par exemple l'utilisation d'éléments préfabriqués.

Plus un béton est fluide, plus il est facile à mettre en œuvre et à compacter. Le béton ferme doit être damé à l'aide d'un pilon ou compacté par vibration pour des travaux importants. Les bétons de consistance plastiques ou très plastiques sont les plus faciles à mettre en œuvre par des non-spécialistes.

Le **cubage** de béton nécessaire est calculé selon la formule suivante : longueur x largeur x hauteur. Le gravier à béton du commerce constitue le type de granulat le mieux adapté. Pour obtenir 1 m^3 de béton, il faut environ 1,3 m^3 de gravier, 150 à 200 l d'eau et 200 à 300 kg de ciment. Renseignez-vous pour savoir si vous pourrez rendre l'excédent de liant au fabricant ou veillez à le conserver dans des conditions appropriées afin de pouvoir le réutiliser si nécessaire. Si vous préférez commander du **béton prêt à l'emploi**, n'oubliez pas d'indiquer la résistance souhaitée ou celle qui vous a été conseillée par un spécialiste. Vous devez préciser, à la commande, certaines données importantes, par exemple la quantité et la consistance souhaitées, le type de granulats ainsi que le lieu et la date de livraison. Un type spécial de béton prêt à l'emploi est le **béton d'étanchement**, variété de béton imperméable qui exige une granulométrie et une quantité de ciment précises. Il est fortement déconseillé de le fabriquer soi-même, même s'il est possible de se procurer les produits d'étanchéité adéquats.

Les magasins spécialisés dans les matériaux de construction offrent toute une gamme de bétons spéciaux, par exemple le béton sec vendu en sac prêt à l'emploi auquel il suffit de rajouter de l'eau, des bouche-pores spécial béton et des produits à prise rapide qui durcissent en quelques minutes.

Les échafaudages, les outils et les engins de chantier

1 • Tréteaux en bois pour travaux intérieurs. 2 • Tréteaux métalliques pour travaux extérieurs.
3 • Échafaudage.

1

2

3

Des échafaudages sont souvent nécessaires pour la plupart des travaux de construction. D'une part ils facilitent le travail, d'autre part ils évitent les accidents. Vous pouvez louer des échafaudages auprès d'entreprises de location d'outillage qui les dressent rapidement sur place ou surveillent leur montage.

1-2 • Les **tréteaux** constituent la forme de support la plus simple ; il en existe de toutes les dimensions et de différentes matières : les petits tréteaux en bois conviennent particulièrement aux travaux intérieurs, tandis que les tréteaux métalliques réglables sont plutôt destinés aux travaux en extérieur, par exemple pour monter un mur.

3 • Les **échafaudages roulants** sont souvent la meilleure solution, en particulier pour les travaux de rénovation de grande envergure. Leur hauteur peut atteindre 10 m, voire plus. Leur montage est facile à réaliser et leur prix est abordable. Les échafaudages roulants exigent toutefois certaines précautions :
• vous devez les déplacer lentement, veiller à ce que personne ne reste dessus lors du déplacement et vérifier le bon assemblage des pièces ;
• vous devez empêcher les roulettes

de s'enfoncer dans le sol, par exemple en posant des madriers sous l'échafaudage ;
• en cas de vent violent ou une fois les travaux terminés, il convient de prendre les mesures nécessaires pour éviter le basculement de l'échafaudage.

4 • Si vous envisagez de réaliser des travaux de grande envergure, il est conseillé d'utiliser des **échafaudages tubulaires**. Il est préférable de laisser à l'entreprise de location le soin de dresser ou de superviser le montage de ce type d'échafaudage. Des échelles permettent de passer d'une plate-forme à l'autre.

5 • Les échafaudages doivent être munis de **dispositifs de protection** tels les garde-fous et être constitués de bastaings ou de madriers suffisamment résistants pour supporter de lourdes charges. Les planches de bois doivent offrir une épaisseur minimale de 4 à 5 cm et être dépourvues de nœuds. Il est indispensable de poser plusieurs planches de bois les unes à côté des autres de manière à pouvoir se déplacer sur une surface de travail uniforme d'au moins 50 cm de largeur. Les planches de bois doivent être disposées de sorte qu'elles ne puissent

4 • Échafaudage tubulaire. 5 • Évitez qu'un basculement ne se produise.
6 • Inclinez correctement l'échelle. 7 • N'hésitez pas à louer du matériel pour les gros travaux.

pas basculer sous l'action d'une charge imprévue et comporter des pattes de blocage pour éviter de glisser. Les matériaux de construction ne doivent en aucun cas être déposés à l'extrémité d'un échafaudage, surtout lorsqu'il s'agit de grandes quantités, et le matériel lourd (par exemple, le bac à gâcher) ne doit pas demeurer sur les bastaings.

6 • L'utilisation d'une **échelle** suffit amplement pour des travaux simples. L'angle d'inclinaison de l'échelle doit être compris entre 68 et 75° afin d'éviter tout accident. Il existe aujourd'hui des échelles facilement transformables adaptées à de multiples travaux et munies de nombreux dispositifs de sécurité qui les empêchent de basculer ou de faire glisser l'utilisateur.

7 • On dispose actuellement de nombreux **outils** et **engins** qui facilitent les travaux de construction et que les bricoleurs peuvent se procurer auprès d'entreprises spécialisées dans la « location d'outillage pour bricoleur » (rubrique indiquée dans les *Pages Jaunes*). Les principaux outils destinés à simplifier le travail des amateurs sont les suivants : une auge ou un bac à gâcher, un fouet mélangeur, une petite grue pour le transport et le levage des matériaux de construction, une scie égoïne, un cordeau. Les outils spécialement destinés aux travaux de démolition sont les suivants : un marteau burineur, une pioche ou un décintroir de maçon, un tube à gravier. Des panneaux de signalisation lumineux, du grillage, des nettoyeurs à haute pression, des échelles, des panneaux de coffrage et des générateurs peuvent compléter efficacement l'outillage de base.

☞ Le conseil du pro

N'hésitez pas à vous renseigner sur le mode de fonctionnement et les modalités d'utilisation de l'outillage, ainsi que sur les risques éventuels qu'il présente. Seule une information suffisante permet d'utiliser les machines en toute sécurité.

5

6

4

7

Les principaux outils

Sur ces deux pages vous trouverez une description succincte des principaux outils de maçonnerie qui, en complément de l'outillage de base, vous seront très utiles et vous permettront à la fois de gagner du temps et d'économiser votre énergie. Les outils nécessaires à la réalisation des exemples de cet ouvrage sont énumérés au début de chaque application.

Les outils de mesure

1 • Mètre pliant • Sert à mesurer des éléments de grandes et petites dimensions.

2 • Niveau à bulle • Sert à tracer des lignes horizontales et à vérifier l'horizontalité des ouvrages.

3 • Niveau d'eau à flexible • Permet de tracer aisément des niveaux à l'intérieur des constructions. Il est fondé sur le principe des vases communicants.

Les outils de pose du mortier

4 • Truelle de maçon • Sert à appliquer les mortiers à maçonner ou à enduire. Il existe des truelles carrées ou triangulaires. Elles mesurent généralement 18 cm.

5 • Truellette • Sert pour des petits travaux, par exemple des réparations.

6 • Fer à ravaler • Sert à réparer les enduits partiellement détériorés. Il possède une lame plate à un bout et une lame pointue à l'autre bout.

7 • Brosse • Trempée dans l'eau, elle sert à humidifier les maçonneries.

8 • Truelle à joint (fer à joint) • Sert au jointoiement des briques et au rebouchage des fissures au mortier. Sa largeur varie de 1 à 5 cm.

Les outils de gâchage du mortier

9 • Pelle • Sert à mélanger les mortiers et les bétons.

10 • Fouet mélangeur • Sert à gâcher tous les types de mortiers et de bétons.

11 • Auge • Seau en plastique, généralement d'une contenance comprise entre 10 et 12 litres, servant à transporter le mortier sur le lieu d'utilisation. Il est préférable d'en posséder plusieurs.

12 • Bac à gâcher • Récipient en plastique possédant une contenance de 60 à 140 litres, de forme ronde ou rectangulaire, utilisé pour le gâchage et la mise en œuvre du mortier. Si vous dressez un échafaudage, choisissez de préférence un bac à gâcher rectangulaire et de petite taille.

13 • Brouette • Choisissez une brouette de maçon suffisamment stable et résistante, capable de supporter le poids élevé du mortier et du béton.

Les outils de lissage et de compactage

14 • Taloche de maçon • En bois ou en plastique, elle sert à damer, lisser et égaliser les surfaces revêtues d'un enduit et les chapes. Il en existe de différentes tailles.

15 • Truelle à lisser • Sert à lisser les enduits et à étendre le mortier. Il en existe en acier ou en plastique.

16 • Règle • Baguette ou latte de bois rectiligne, de 8 à 10 cm de largeur et de 1 à 5 m de longueur, utilisée pour tirer, dresser et lisser les enduits et les chapes, c'est-à-dire les répartir et les égaliser avant talochage. Il existe également des baguettes en aluminium.

17 • Lisseuse • Truelle longue à bout pointu destinée au ragréage et au lissage de surfaces très étendues, ainsi qu'au talochage des angles.

18 • Dame ou pilon à main • Sert à compacter le béton.

Les outils à maçonner

19 • Marteau de maçon • Possédant une panne pointue et une frappe plate, cet outil sert à travailler les matériaux et à enlever les enduits. C'est l'outil indispensable du maçon.

20 • Cordeau • Sert à vérifier le parfait alignement des éléments de maçonnerie.

21 • Fil à plomb • Muni à une extrémité d'un morceau de métal lourd, il sert à donner la verticale.

Les outils à enduire

22 • Chevillette de maçon • Sert à fixer règles, cales en bois, guides, etc. contre les maçonneries. Il est préférable d'en avoir toujours plusieurs sous la main.

23 • Taloche éponge (taloche feutrée) • Taloche doublée d'une éponge synthétique ou de feutre qui sert à lisser les enduits de finition.

24 • Couteau à enduire • D'une longueur d'environ 80 cm, il ressemble à une spatule de grande taille et sert à égaliser de grandes surfaces et à lisser des enduits.

25 • Guillaume • Outil large, semblable à une planchette de bois, qui permet d'étendre le mortier à deux mains. Une truelle à lisser suffit pour un bricoleur amateur.

Les outils de démolition

26 • Burin • À extrémité plate ou pointue, il sert à démolir les murs et à casser le béton.

27 • Massette • Sert à ficher des chevilles et à frapper sur le manche du burin.

Utiliser les instruments de mesure et de vérification

1 • Outils de mesure. 2 • Principe de fonctionnement du niveau à bulle.
3 • Principe de fonctionnement du niveau d'eau à flexible.

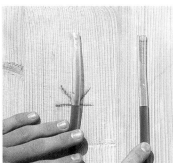

1

2

La mesure des longueurs, des hauteurs et des angles ainsi que la vérification de la verticalité et de l'horizontalité constituent des opérations fondamentales de la construction. Seul un travail précis et correct, conforme aux règles de l'art, offrira des résultats satisfaisants.

1 • Les instruments de base sont les suivants : un mètre pliant, un mètre-ruban et un niveau à bulle. Si vous êtes amené à effectuer régulièrement des mesures, il est préférable d'avoir toujours en votre possession un niveau à bulle d'une longueur minimale de 80 cm. D'autres instruments, tels un niveau d'eau, un fil à plomb, un cordeau et une règle à niveler s'avèrent également d'une grande utilité.

2-3 • Le **niveau à bulle (d'air)** sert à contrôler l'horizontalité ou la verticalité d'une surface. Il est formé d'un tube transparent fermé, enchâssé dans une monture et plein d'un liquide, à l'exception d'une bulle d'air. Afin de vérifier la mise à niveau correcte d'un mur ou d'un coffrage sur une plus grande distance, on utilise une baguette à arêtes vives et rectilignes, de 6 à 8 cm de largeur et de 3 m de longueur, appelée **règle à niveler**.

Si l'on souhaite mesurer ou vérifier des hauteurs sur une très grande distance, le **niveau d'eau à flexible** constitue un instrument très utile. Le niveau d'eau fonctionne selon le principe des vases communicants. Il se compose d'un tuyau flexible de 10 à 20 cm de longueur dont les extrémités sont relevées à angle droit. On remplit ce tuyau d'eau, en veillant toutefois à ne pas le remplir totalement (on arrête le remplissage à 5 ou 10 cm avant le bout du tuyau). On ferme ensuite ce tuyau avec un bouchon. En ôtant le bouchon, on s'aper-

☞ Le conseil du pro

Choisissez un niveau ayant de l'eau colorée afin de faciliter le repérage du niveau d'eau dans le tuyau et repérer les bulles d'air éventuelles.

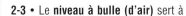

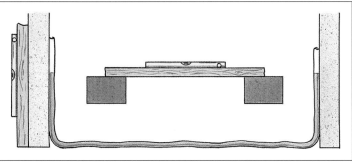

3

4 • Utilisation du niveau à bulle pour vérifier la verticalité d'un élément. 5 • Le niveau à bulle permet également de mesurer une inclinaison. 6 • Utilisation du fil à plomb pour aligner verticalement des éléments de maçonnerie. 7 • Principe du 3-4-5 pour obtenir un angle de 90°.

çoit que le niveau d'eau est exactement le même dans les deux extrémités du tuyau. Bien sûr, le tuyau ne doit comporter ni plis ni bulles d'air. Deux points éloignés sont ainsi mis de niveau avec précision.

On commence par placer des repères de niveau à environ 1 m au-dessus du sol, par exemple contre un mur ou un pilier. On mesure ensuite jusqu'à la hauteur souhaitée, vers le bas ou vers le haut. De cette façon on peut aussi matérialiser une déclivité ou une rampe, par exemple pour des dalles de béton inclinées ou des chapes légèrement en pente, etc.

4 • Utilisez un **niveau à bulle** pour contrôler la verticalité d'une surface relativement réduite et une règle à niveler ou un fil à plomb pour mesurer l'horizontalité ou l'aplomb sur de plus grandes distances.

5 • Certains niveaux à bulle permettent de mesurer également des **angles d'inclinaison**. L'inclinaison est indiquée en **degré** ou en **centimètre par mètre** et se calcule de la manière suivante : une inclinaison (déclivité ou rampe) d'un degré équivaut à 2,2 cm par mètre.

6 • Le **cordeau** peut être utilisé pour tracer de grandes longueurs et le fil à plomb pour monter des murs parfaitement verticaux.

7 • On peut mesurer des **angles droits** à l'aide d'une simple équerre ou avec une équerre-niveau ou niveau d'équerre. On peut obtenir des mesures encore plus précises sur de plus grandes distances en appliquant le principe mathématique dit du 3-4-5 selon lequel, dans un triangle de 3, 4 et 5 mètres de côté (3,4 et 5 cm, 30, 40 et 50 cm, etc.), les deux plus petits côtés forment un angle droit. Procédez de la façon suivante : tracez une longueur de 4 m à l'aide d'un cordeau traceur à poudre. Si vous tracez ensuite les deux autres côtés respectivement de 3 et 5 m de longueur, vous constaterez, si vos mesures sont vraiment exactes, que les deux plus petits côtés forment un angle de 90°.

5

6

4

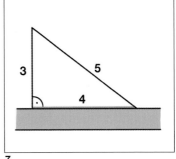

7

Travailler les différents matériaux de construction

1 • Pour fendre une brique, utilisez un marteau de maçon. 2 • Vous pouvez réaliser cette même opération avec un burin.
3 • Coupez le béton cellulaire avec une scie égoïne. 4 • Utilisez une scie égoïne électrique pour les briques.

1

2

3

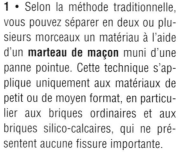

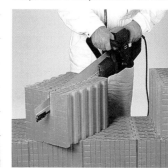

4

Les murs ne sont pas seulement construits à partir de matériaux formés d'un seul bloc. Il est souvent nécessaire de séparer le matériau en plusieurs morceaux, surtout pour maçonner les angles. Chaque matériau nécessite une mise en œuvre particulière.

1 • Selon la méthode traditionnelle, vous pouvez séparer en deux ou plusieurs morceaux un matériau à l'aide d'un **marteau de maçon** muni d'une panne pointue. Cette technique s'applique uniquement aux matériaux de petit ou de moyen format, en particulier aux briques ordinaires et aux briques silico-calcaires, qui ne présentent aucune fissure importante.

Le maçon professionnel sépare immédiatement le matériau d'un seul coup, mais il est préférable de réaliser une légère entaille tout autour du matériau au point de cassure souhaité et de donner ensuite un violent coup de marteau avec la panne pointue. On ne réussit pas toujours du premier coup ce type d'opération et l'on risque même parfois de faire voler le matériau en éclats, surtout s'il s'agit d'un matériau de grand format ; le béton cellulaire, en particulier, se prête très mal à ce type de méthode Il est recommandé de s'entraîner sur des chutes.

2 • Un **burin** plat suffisamment tranchant constitue également un bon outil. Là aussi, vous pouvez commencer par entailler légèrement le matériau avant de frapper.
Certains matériaux, tels les blocs de béton léger, possèdent des **points préformés destinés à la cassure** qui facilitent leur séparation à l'aide d'un burin large.

3-5 • Si vous souhaitez travailler certains matériaux poreux tels le béton cellulaire ou la brique alvéolée, utilisez une **scie égoïne** munie d'une lame spéciale. Il existe également des scies égoïnes électriques. Ce type de scie est vendu chez les fabricants de matériaux et dans les magasins d'outillage. Afin d'effectuer des découpes correctes, il

5 • Utilisation du biveau. 6 • Utilisez une meuleuse pour obtenir des découpes soignées.
7 • Pour des matériaux plus durs, utilisez une scie circulaire. 8 • Profitez de l'offre disponible pour faire le moins de découpes possible.

⚠ Le conseil de sécurité

Avant d'entreprendre la mise en œuvre des matériaux, assurez-vous que votre machine est en bon état de fonctionnement et que vous possédez des disques à tronçonner parfaitement adaptés à votre type de matériel. Orientez convenablement le carter de protection mobile de façon qu'il vous assure une protection optimale. Fixez solidement la pièce à travailler, par exemple à l'aide d'un serre-joints. Tenez la machine à deux mains pour qu'elle soit parfaitement immobilisée et portez toujours des lunettes de protection et un masque.

est conseillé d'utiliser une fausse équerre ou biveau (équerre à branches mobiles). Le béton cellulaire est un matériau tellement facile à travailler qu'une simple scie classique suffit, même si la lame est usagée.

6 • Si vous souhaitez réaliser une découpe parfaite et obtenir des arêtes lisses, par exemple lorsqu'il s'agit de matériaux utilisés en parement, il est préférable d'utiliser une **meuleuse portative**.

7 • Il est indispensable d'utiliser une scie circulaire pour travailler des matériaux durs, par exemple des pierres naturelles ou des blocs de béton léger.

8 • Cependant, il est souvent plus simple d'**éviter** d'avoir à réaliser soi-même la **mise en œuvre** des matériaux. Il est donc plus judicieux de calculer au préalable la longueur exacte de vos murs en fonction des formats standard disponibles. Il existe un vaste choix de matériaux de petit format spécialement conçus pour combler des vides.

Si vous envisagez de remplir vos joints de maçonnerie au mortier traditionnel, une autre solution consiste à **augmenter l'épaisseur des joints verticaux** (2 cm maximum), à condition que vos murs ne soient pas porteurs.

6

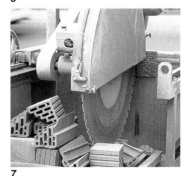
7

5

8

Gâcher du mortier et du béton

1 • Conditionnement du ciment. 2 • Gâchage du mortier à la main.
3 • Gâchage à l'aide d'un fouet mélangeur.

1

2

3

Il existe différents procédés de gâchage du mortier et du béton : le gâchage à la main ou à l'aide d'un fouet mélangeur pour de faibles quantités et le gâchage à la bétonnière pour les quantités plus importantes.

1 • Le **mortier** ou le **béton gâché à la main** est composé d'un mélange de liant, de sable ou de gravier et d'eau. Ces différents composants sont gâchés sur place. Il est conseillé de porter des lunettes pour se protéger des éclaboussures de mortier. Les liants (ciment, chaux) doivent être conservés dans un endroit sec.

2-3 • Les petites quantités de mortier ou de béton peuvent être mélangées dans une auge ou un bac à gâcher, **à la main** ou à l'aide d'un **fouet mélangeur**. La **technique du gâchage** est la suivante : versez le sable ou le gravier et le liant dans le récipient et mélangez à sec ces deux composants. Incorporez ensuite l'eau au fur et à mesure en mélangeant le tout jusqu'à l'obtention d'un mortier ou d'un béton à la consistance voulue. Le mélange doit être homogène et de teinte uniforme.

4-5 • Pour des quantités plus importantes, l'utilisation d'une **bétonnière** s'impose. La partie principale de la bétonnière est une cuve tournante destinée à recevoir les granulats et l'eau. Le type de bétonnière le plus courant est la bétonnière à moteur électrique. Respectez les **conseils** suivants :

• utilisez des câbles électriques adaptés et prenez les précautions nécessaires pour éviter tout accident d'origine électrique ;

• commencez par mélanger de petites quantités d'agrégats et de liant et dosez le volume d'eau nécessaire. Si vous versez trop d'eau dans la cuve dès le début, il sera difficile de « rattraper » le mélange par la suite et d'obtenir la consistance idéale ;

• mettez la bétonnière en route et commencez par verser les 3/4 de l'eau nécessaire ;

• ajoutez le ou les liant(s) : vous obtenez alors une pâte collante ;

• versez la quantité adéquate de sable ou de gravier dans la cuve ;

• laissez tourner 2 à 3 mn en rajoutant de l'eau en fonction de l'aspect du mélange. Attention : il n'existe qu'une frontière étroite entre un mortier ou un béton fluide et un mélange plastique ;

• si le mortier ou le béton est trop liquide, rajoutez du liant et des agrégats.

4 • Pour de gros travaux, utilisez une bétonnière. 5 • Respectez les doses.
6 • Puis inclinez le tonneau pour déverser le mortier dans la brouette. 7 • Acheminez le morteau à l'aide d'une poulie.

Le **mortier pour chapes** est un mortier de ciment très sec.

Un mélange parfait est difficile à obtenir à la main. C'est pourquoi il est préférable d'utiliser un fouet mélangeur ou une bétonnière. Le mélange des différents constituants dure plus longtemps qu'un gâchage classique (environ 3 à 4 mn au lieu de 2 à 3 mn).

Les **mortiers prêts à l'emploi** sont des mortiers secs vendus en sacs. Il ne reste plus à l'utilisateur qu'à verser la quantité d'eau indiquée sur le paquet. La technique du gâchage est la suivante : versez avec soin le mortier sec dans le volume d'eau préalablement dosé, puis mélangez l'eau et le mortier à la main, au fouet ou à la bétonnière.

6-7 • Une fois le mélange terminé, basculez le tambour de la bétonnière à l'aide du volant placé sur le côté pour déverser le mortier dans une brouette ou dans un bac de gâchage. Versez ensuite de l'eau dans le tonneau de façon que le mortier ou le béton résiduel ne reste pas collé aux parois et ne sèche pas. Si vous travaillez sur un échafaudage, faites monter le seau de mortier ou de béton à l'aide d'une poulie. Ne restez pas debout sous la charge et portez toujours un casque.

Il est possible de modifier ultérieurement la consistance du mortier : projetez une faible quantité d'eau ou de sable mélangé à un liant sur le mortier à l'aide d'une vieille brosse et mélangez le mortier rectifié avec une truelle. Les **mortiers-colles** offrent l'aspect d'une colle pour carrelage. On les prépare de la façon suivante : le mortier sec est incorporé dans la quantité d'eau préalablement dosée et mélangé à l'aide d'un fouet. Les autres procédés de gâchage ne conviennent pas à ce type de mortier.

☞ Le conseil du pro

Trempez dans une eau propre tous vos outils avant de les mettre en contact pour la première fois avec du mortier ou du béton. Ils seront ensuite plus faciles à nettoyer.

5

6

4

7

Choisir une truelle de maçon

1 • Truelles, truellette et riflard. 2 • Truelle la plus courante et utile.
3 • Truelle à lisser. 4 • Fer à ravaler.

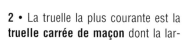

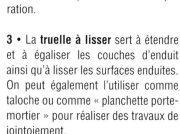

Les truelles constituent les outils de base indispensables à tous les travaux de maçonnerie. Il convient toutefois de choisir une truelle adaptée aux travaux que vous envisagez et qui vous facilitera considérablement la tâche tout en vous permettant d'obtenir des résultats optimaux.

1 • Sur cette photo sont représentées différentes truelles : **truelle à lisser** (28 cm) (de gauche à droite) : **truellette** (8 cm), **truelle carrée de maçon** (16 cm), **riflard de maçon** (sorte de couteau de peintre, 5 cm), **truelle à joint** (1 cm de largeur). Tout maçon amateur qui envisage de réaliser régulièrement des travaux de maçonnerie se doit de posséder un tel assortiment de truelles.

2 • La truelle la plus courante est la **truelle carrée de maçon** dont la largeur diminue progressivement vers son extrémité. Les truelles de maçon servent à appliquer et projeter le mortier et sont utilisées pour les travaux de bétonnage et la réalisation de chapes ; elles sont également très utiles pour nettoyer les autres outils et les matériaux. La **truelle triangulaire** convient aux mêmes types d'usages que la truelle carrée et peut mesurer jusqu'à 20 cm. Le choix d'une truelle carrée ou d'une truelle triangulaire dépend des préférences de chacun. Une **truellette** permet d'exécuter des petits travaux de réparation.

3 • La **truelle à lisser** sert à étendre et à égaliser les couches d'enduit ainsi qu'à lisser les surfaces enduites. On peut également l'utiliser comme taloche ou comme « planchette porte-mortier » pour réaliser des travaux de jointoiement.
La **truelle à joint**, de 1 à 5 cm de largeur, sert au jointoiement des murs de parement et au colmatage des fissures à l'aide de mortier.

4 • Le **fer à ravaler**, possédant une lame pointue à un bout et une lame plate à l'autre bout, permet de réaliser avec précision de toutes petites réparations.

Retirer un enduit

1 • Enduit détérioré. 2 • Seules certaines parties peuvent être réparées.
3 • Pour d'importantes réparations, utilisez un marteau de maçon. 4 • Puis, nettoyez avant d'appliquer un nouvel enduit.

Un enduit détérioré qui n'adhère plus au mur doit être enlevé. Afin de vérifier la bonne tenue d'un enduit, on réalise un sondage : on commence par sonder avec un marteau toutes les parties accessibles, en particulier de part et d'autre des fissures, afin d'évaluer si l'enduit « sonne creux ». Si les parties « sonnant creux » sont importantes, il faut éliminer l'enduit en totalité. Si les parties « sonnant creux » sont localisées, il faut prévoir de les éliminer. Ces opérations sont indispensables avant d'assainir des murs humides et salpêtrés. Si les zones détériorées sont importantes, il est préférable d'appliquer un nouvel enduit sur toute la surface du mur.

1 • Si seule la couche de finition est abîmée, il suffit de l'ôter. Avant d'effectuer les réparations nécessaires, il convient de gratter la couche inférieure et d'appliquer un nouvel enduit dilué à l'aide d'une brosse afin d'améliorer l'accrochage de la couche de finition appliquée ultérieurement.

2 • Si la couche de finition s'effrite par endroits, mais que l'enduit dans son ensemble est en assez bon état, vous pouvez appliquer un durcisseur. Il s'agit d'un produit liquide que l'on étend sur l'enduit pour le consolider.

3 • Si l'enduit est gravement détérioré, il est nécessaire de l'éliminer complètement, jusqu'au nu du mur. Cependant, si le gobetis semble encore adhérer suffisamment, il est préférable de le laisser. Vous pouvez utiliser un marteau de maçon (la panne pointue de préférence) pour « piocher » et enlever l'ancien enduit sur de petites surfaces. Un burin plat fait également l'affaire. Si vous devez travailler des surfaces plus importantes, il est recommandé d'utiliser un marteau burineur. N'oubliez pas de porter des lunettes de protection lors des travaux !

4 • Après avoir éliminé l'ancien enduit, nettoyez le mur avec un balai pour le préparer à recevoir le nouvel enduit. Afin d'ôter les plaques de mortier difficiles à détacher, utilisez un balai-brosse.

2

3

1

4

Démolir des maçonneries

1 • Pour démolir, utilisez un marteau et un burin. 2 • Pour des surfaces plus étendues, utilisez un marteau-burineur.
3 • Débarrassez-vous ensuite des gravats.

1

2

3

De nombreux travaux de rénovation nécessitent le remplacement des maçonneries existantes par de nouvelles, ce qui implique la démolition des maçonneries anciennes en béton ou autre matériau dur. En principe, un mur doit toujours être démoli **de haut en bas** pour éviter les éboulements. Avant de commencer vos travaux de démolition, assurez-vous qu'ils ne risquent pas d'affaiblir la construction ni d'entraîner des problèmes de stabilité de l'ouvrage.

1 • Utilisez une massette et un burin pour réaliser des petits travaux de démolition. Un burin pointu, ou pointerolle, est plus adapté à l'éclatement du béton, tandis qu'un burin plat est préférable pour les travaux de percement.

2 • Il est préférable d'utiliser un burin pour des surfaces de démolition plus étendues. Un **marteau-burineur** électrique vous facilitera considérablement le travail. Veillez toutefois à ne pas provoquer d'éboulements à d'autres endroits de la construction dus aux vibrations, voire aux fortes secousses provoquées par ce type d'outil, surtout si votre maçonnerie est ancienne et fragile. Pour la démolition de surfaces bétonnées plus importantes, il convient d'utiliser un **marteau pneumatique** fonctionnant au moyen d'un compresseur à piston. Une pioche de terrassier ou un pic, outil que vous pouvez louer auprès d'un magasin d'outillage, facilite les travaux pénibles à la main, surtout lorsqu'il s'agit de démolir du béton.

3 • Après avoir réalisé vos travaux de démolition, allez porter vos gravats à la décharge. Si vous avez une grosse quantité de décombres, il est préférable de louer un conteneur. Si vous travaillez sur un échafaudage, vous pouvez vous procurer des conduits ou goulottes cylindriques pour évacuer les gravats des étages qui déverseront directement les gravats dans le conteneur.

Lors des travaux de démolition, respectez les **mesures de sécurité** suivantes :

- utilisez uniquement des burins munis d'une poignée « pare-coups » ;
- portez des lunettes de protection pour tous les travaux au burin, en particulier pour le travail du béton et des matériaux durs, afin de ne pas recevoir d'éclats dans les yeux ;
- Portez un casque et des chaussures de sécurité pour ne pas se blesser ;
- si vous utilisez des engins très bruyants, portez un casque anti-bruit.

Mettre en place des linteaux

1 • Les linteaux reposent sur la maçonnerie qui leurs sont contigüs. 2 • Il existe des linteaux préfabriqués.
3 • Principe des linteaux sous forme de voûte. 4 • Voûte préfabriquée.

Les linteaux surmontent des ouvertures de maçonnerie, par exemple des ouvertures de porte, de fenêtre ou des niches creusées dans le mur. Les volets roulants ou les voûtes jouent le même rôle que les linteaux.

1-2 • Les **linteaux** supportent la charge des éléments supérieurs de la maçonnerie et reportent cette charge sur les côtés de la baie. L'utilisation de barres métalliques permet d'augmenter la capacité de charge des linteaux en renforçant leur résistance. Les linteaux reposent sur des appuis latéraux. La longueur minimale d'appui doit être comprise entre 15 et 25 cm et dépend du type de matériau utilisé, de la mise en œuvre et de la longueur souhaitée. Il existe des linteaux isolés ou non isolés, des linteaux plats de quelques centimètres seulement de hauteur et des linteaux de même hauteur que les matériaux de grand format. En règle générale, les linteaux ont une portée pouvant atteindre 3 m. Lorsque les ouvertures sont plus larges, il est nécessaire d'utiliser des traverses en acier.

Les **volets roulants** peuvent également fermer la partie supérieure

d'une ouverture pratiquée dans un mur et jouer le rôle d'un linteau.

3-4 • Les **voûtes**, ouvrages de maçonnerie cintrés, peuvent aussi couvrir une ouverture. Les voûtes prennent appui sur des murs latéraux et sont composées de matériaux de maçonnerie de petit format assemblés avec un mortier bâtard. La construction d'une voûte nécessite des claveaux disposés en forme d'arc et des appuis suffisants. Les joints de mortier de la partie inférieure de la voûte doivent présenter une épaisseur minimale de 0,5 cm, ceux de la partie supérieure une épaisseur maximale de 2 cm. Le maçonnage d'une voûte exige une certaine expérience. Il est donc préférable, pour un maçon amateur, d'utiliser des voûtes préfabriquées.

2

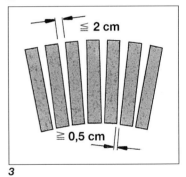

≦ 2 cm

≧ 0,5 cm

3

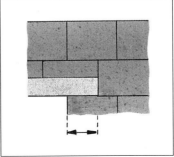

1

4

Percer un mur pour pratiquer une ouverture

1 • Tracez dans un premier temps la démolition à effectuer.
2-3 • Positionnez et fixez le linteau.

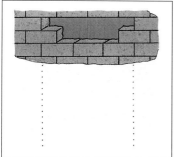

1

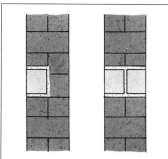

2

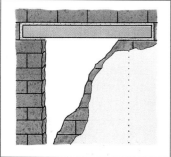

3

Il est nécessaire de percer un mur pour pratiquer une ouverture permanente (porte ou fenêtre) ou de creuser un mur pour réaliser une niche. En règle générale, le percement d'un **mur non porteur** ne présente pas de difficultés particulières.

En revanche, si l'on envisage de pratiquer une ouverture dans un **mur porteur**, il est indispensable de procéder à une étude statique. La réalisation d'une ouverture étroite, c'est-à-dire d'une largeur maximale de 50 cm, ne pose, en général, pas de problème. Si vous envisagez de pratiquer une ouverture plus large, supérieure à 1,50 m de largeur, il est préférable de recourir à un professionnel. Les ouvertures très larges doivent souvent être surmontées d'un linteau renforcé par des traverses d'acier.

1 • Tracez avec précision la largeur prévue de l'ouverture que vous allez pratiquer dans le mur et ôtez l'enduit à l'endroit où vous poserez le linteau. Percez le mur sur la moitié de son épaisseur, de préférence à l'aide d'un burin. Les marteaux-burineurs ne sont pas indiqués dans ce cas précis, car ils risquent de provoquer l'affaissement des parties supérieures de la maçonnerie.

2-3 • Posez le linteau sur un lit de mortier en prévoyant une longueur d'appui d'au moins 15 cm de chaque côté. Comblez ensuite l'espace entre le linteau et le mur avec du mortier bâtard ou maçonnez cet espace avec un matériau adapté. Percez alors la seconde moitié du mur et posez-y le linteau. En cas de maçonnerie porteuse, ne posez le linteau que lorsque le mortier est sec.

Dans de nombreux cas, il est recommandé de percer le mur jusqu'au plafond et de le maçonner ensuite, par exemple lorsque les éléments supérieurs risquent de s'effondrer.

Si le mur est très mince, il convient de le percer en une seule fois ; les maçonneries supérieures peuvent, le cas échéant, être étayées par des appuis adaptés disposés en travers.

⚠ Le conseil de sécurité

Attaquez toujours le mur au burin de haut en bas (en commençant par l'emplacement du linteau). Vous éviterez ainsi l'éboulement total ou partiel du mur. N'oubliez pas de porter un casque pour réaliser vos travaux de perçage en toute sécurité.

Réaliser un plancher préfabriqué

1 • Plancher préfabriqué. 2 • Poutrelle + hourdis + dalle de béton = plancher.
3 • Principe des planches préfabriquées.

À l'occasion de travaux de réfection ou d'assainissement, on se demande souvent quel type de plancher installer. Les planchers en béton armé, par exemple les planchers en dalle pleine de béton armé, ferraillée et coulée en place sur un coffrage, nécessitent de solides connaissances dans ce domaine et une certaine pratique. C'est pourquoi la réalisation d'un plancher en béton armé doit être confiée à un spécialiste. Il existe cependant plusieurs types de planchers réalisables par un bricoleur. Des indications précises fournies par le fabricant sont alors nécessaires.

1 • Les **planchers préfabriqués** constituent la solution la plus simple. Ils sont réalisés selon le plan de mise en œuvre que vous avez fourni au fabricant et joint à votre commande. Les différents éléments préfabriqués sont déposés sur le chantier à l'aide d'une grue ou d'un camion-grue. Ces planchers préfabriqués sont à base de béton cellulaire, de béton léger, de béton ordinaire ou de brique. Les espaces entre les éléments sont coulés avec du béton.

2 • Les **planchers à poutrelles préfabriquées** sont faciles à mettre en œuvre. Le hourdis garnissant l'inter-valle entre les poutrelles métalliques du plancher peut être en brique ou en béton léger. Le coulage d'une dalle en béton est également nécessaire pour ce type de plancher. Les planchers à poutrelles préfabriquées conviennent surtout aux constructions où l'on ne peut pas installer d'éléments lourds, par exemple pour des travaux d'assainissement de maçonneries anciennes.

1

3 • Il est souvent nécessaire de prévoir un **coffrage** renforcé d'un treillis d'acier et coulé avec du béton. Ce travail peut être réalisé par un bricoleur averti dans ce domaine.

La réalisation d'un **plancher en bois** ou **plancher-bois** est tout à fait à la portée d'un amateur. Outre la méthode de construction classique avec coffrage et hourdage, il existe des planchers spéciaux sur lesquels on peut directement poser une chape de ciment.

Pour les **travaux d'assainissement de maçonneries anciennes**, il est préférable d'utiliser des poutrelles d'acier profilées en I entre lesquelles on insère des panneaux spéciaux. On procède ensuite au coulage du béton.

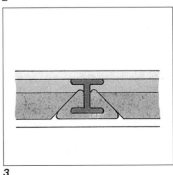

2

3

Appliquer un mortier d'étanchement

1 • Détériorations dues à l'humidité. 2 • Taches de salpêtre.
3 • Ôtez l'ancien enduit et appliquez un nouveau mortier spécial.

1

2

3

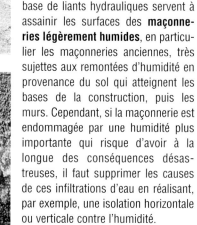

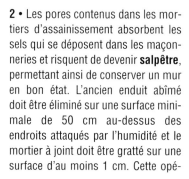

Les mortiers d'assainissement sont des enduits spéciaux prêts à l'emploi à texture poreuse, qui favorisent l'assèchement de la maçonnerie et absorbent le salpêtre des murs.

1 • Les mortiers de sous-couche à base de liants hydrauliques servent à assainir les surfaces des **maçonneries légèrement humides,** en particulier les maçonneries anciennes, très sujettes aux remontées d'humidité en provenance du sol qui atteignent les bases de la construction, puis les murs. Cependant, si la maçonnerie est endommagée par une humidité plus importante qui risque d'avoir à la longue des conséquences désastreuses, il faut supprimer les causes de ces infiltrations d'eau en réalisant, par exemple, une isolation horizontale ou verticale contre l'humidité.

2 • Les pores contenus dans les mortiers d'assainissement absorbent les sels qui se déposent dans les maçonneries et risquent de devenir **salpêtre,** permettant ainsi de conserver un mur en bon état. L'ancien enduit abîmé doit être éliminé sur une surface minimale de 50 cm au-dessus des endroits attaqués par l'humidité et le mortier à joint doit être gratté sur une surface d'au moins 1 cm. Cette opé-

ration permettra d'enlever environ 90 % du salpêtre des murs.

3 • Les mortiers d'assainissement doivent être appliqués en couche d'au moins 20 mm d'épaisseur, de préférence sur un gobetis semi-opaque. La mise en œuvre de l'enduit est effectuée selon les indications fournies par le fabricant. Des informations précises sur la nature et le mode d'utilisation du produit - renseignements figurant sur la fiche technique du produit - sont très utiles. Le pouvoir imperméabilisant de l'enduit, c'est-à-dire sa fonction antisalpêtre, doit être garanti par un label de contrôle figurant sur le produit. En ce qui concerne la gamme des produits d'assainissement, il faut se méfier des produits bon marché et leur préférer des produits de marque à la qualité irréprochable.

Les mortiers d'assainissement ne doivent pas être recouverts de matériaux pare-vapeurs qui empêchent l'assèchement de la maçonnerie. L'emploi de peintures à base de résines synthétiques ou de papiers peints synthétiques est fortement déconseillé. Les problèmes d'humidité sont souvent difficiles à résoudre et, en cas de doute, il est préférable de recourir à un spécialiste.

Nettoyer et entretenir ses outils

1 • Nettoyez les outils à l'aide d'eau et d'une spatule. 2 • Les taloches éponges doivent être particulièrement nettoyées avec soin.
3 • Nettoyez également la bétonnière avec de l'eau.

Le mortier et le béton sont des matériaux qui adhèrent fortement aux outils ou aux machines. Il est donc indispensable de nettoyer et d'entretenir ses outils de maçonnerie régulièrement afin de les conserver en bon état le plus longtemps possible.

1 • Tous les **outils à main**, comme les truelles, les pelles et les taloches doivent toujours être nettoyés après emploi ; ils sont d'abord grattés à l'aide d'une spatule afin d'enlever les dépôts de mortier séchés, puis lavés à l'eau avec une brosse. Les outils menacés par la corrosion, dont vous ne vous êtes pas servi depuis longtemps, doivent être lubrifiés à l'aide d'un chiffon.

2 • Les **taloches éponges** et les taloches feutrées nécessitent un nettoyage particulièrement soigné : plongez-les dans l'eau, puis pressez-les pour ôter tous les restes de mortier ; enfin, rincez-les avec soin.

3 • Le nettoyage de la **bétonnière** nécessite également un travail soigné. Immédiatement après avoir vidé la bétonnière, versez de l'eau dans la cuve et laissez-la tourner quelques instants afin que les restes de mortier ou de béton se décollent des parois.

Un nettoyage plus poussé s'impose lorsque vous n'avez pas utilisé la bétonnière pendant plusieurs heures et que des dépôts (de ciment, surtout) se sont déjà fixés solidement sur les parois de la cuve. Versez alors du sable, des graviers et de l'eau dans la cuve et laissez tourner la machine pendant un moment. Si des quantités plus importantes adhèrent aux parois de la cuve, utilisez un maillet en caoutchouc pour taper sur la benne de la bétonnière. Attention : les morceaux qui se détachent peuvent être projetés très loin, alors ne restez pas trop près ou portez des lunettes protectrices !
Afin de détacher les restes de mortier les plus tenaces, il est nécessaire de nettoyer la bétonnière (intérieur et extérieur) à l'aide d'une pelle ou d'une spatule et d'eau. Rincez ensuite à l'eau claire.
Vous pouvez jeter l'eau sale dans un trou rempli de sable ou de gravier ou la déverser sur les gravats.

⚠ **Le conseil de sécurité**

Ne nettoyez surtout pas à la main le tonneau de la bétonnière lorsque celle-ci est en marche. Arrêtez toujours la machine avant de la nettoyer.

1

2

3

Construire un mur avec ou sans mortier

Matériaux

Matériaux de construction, mortier.

Outillage

Niveau de difficulté

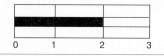

| 0 | 1 | 2 | 3 |

Force

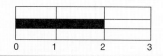

| 0 | 1 | 2 | 3 |

Durée de réalisation

Pour la construction d'un ouvrage de maçonnerie d'1 m^3 avec des matériaux de grand format assemblés au mortier traditionnel, il faut compter environ quatre heures, moins si vous utiliser un mortier-colle.

Économie

Environ 600 francs par m^3.

La construction en maçonnerie résulte de la juxtaposition de matériaux solides liés ou non entre eux et formant un ensemble stable, de forme et de dimensions déterminées. Les murs doivent posséder une assise suffisamment stable. C'est pourquoi les matériaux utilisés sont généralement assemblés avec du mortier. Il existe toutefois des éléments de maçonnerie que l'on peut assembler sans mortier ni liant quelconque. Dans un ouvrage de maçonnerie, on distingue généralement les intervalles horizontaux entre deux pierres appelés joints de lit et les intervalles verticaux dénommés joints montants ou joints de tête.

1 • Épaisseur des joints de mortier dans un mur construit avec un mortier traditionnel. 2 • Humidifiez les matériaux avant mise en place.
3 • Appliquez le mortier à la truelle.

Les murs construits avec un mortier traditionnel

1 • En maçonnerie traditionnelle, les éléments de maçonnerie sont assemblés avec un mortier classique. Le lit de mortier compense les petites différences de taille des matériaux utilisés. L'épaisseur normale d'un **joint horizontal** est de 1,2 cm, celle d'un **joint vertical** de 1 cm environ. Le type de mortier utilisé dépend du type d'ouvrage et de la mise en œuvre envisagés, ainsi que des charges prévues (voir page 25).

La maçonnerie avec un mortier classique est réalisable avec tous les matériaux de construction les plus courants, quelles que soient leurs dimensions. Le principe de mise en œuvre est le suivant : le matériau est posé sur un lit de mortier encore frais. Les matériaux très absorbants ou hydrophiles, tels la brique, la brique silico-calcaire ou le béton cellulaire, doivent être préalablement humidifiés afin d'éviter qu'ils absorbent aussitôt l'eau contenue dans le mortier. Par temps chaud et sec, un mouillage complet est nécessaire. La surface du matériau doit être encore humide lors de l'application du mortier.

La consistance du mortier doit être adaptée, dans une certaine mesure, au type de matériau utilisé : le mortier ne doit pas être trop liquide, sinon il risque de déborder des joints et de couler sur le mur, surtout si le matériau est lourd. Dans ce cas, ajoutez des granulats secs afin de l'assécher légèrement. En revanche, si le mortier est trop sec, rajoutez de l'eau. Dans chacun des cas il est nécessaire de mélanger énergiquement la préparation à la truelle. Il est même indispensable de mélanger régulièrement le mortier dès que les différents constituants commencent à se séparer.

2 • Il est absolument nécessaire de mouiller préalablement le matériau avant de le poser sur le lit de mortier et d'humidifier également le rang inférieur que l'on vient de terminer. Utilisez à cet effet une vieille brosse de peintre, un pulvérisateur ou un tuyau d'arrosage.

3 • Étalez le mortier à la truelle en une couche régulière d'environ 2,2 cm d'épaisseur. En effet, il faut prévoir une couche plus épaisse que l'épaisseur normale de 1,2 cm (épaisseur mesurée après pose des matériaux), car le lit de mortier diminue sous la charge des matériaux. Au début, n'appliquez le mortier que sur quelques éléments, « à l'essai », avant d'acquérir une certaine habitude de ce type de travail.

1,0 cm

1,2 cm

1

2

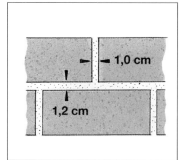

3

4 • Posez et ajustez le matériau. 5 • Posez ensuite les joints verticaux. 6 • Tassez le mortier au fond des joints avec une truelle.
7 • Des perforations dans certains matériaux facilitent le travail. 8 • Blocs ne nécessitant aucun joint. 9 • Facilitez-vous la pose du mortier.

4

7

5

8

6

9

4 • Posez le matériau sur le lit de mortier et ajustez-le de manière à obtenir un alignement parfait. La position correcte est obtenue en ajustant les matériaux de petit format à la main ou avec le manche de la truelle ; pour les matériaux de grand format, utilisez un marteau de maçon ou une massette en caoutchouc. Enlevez aussitôt l'excédent de mortier à la truelle.

5 • Posez ensuite le lit de mortier suivant en appliquant, pour les joints verticaux, le mortier à l'extrémité du matériau avant de le poser, car si vous appliquez le mortier une fois le matériau posé, il peut se produire un décalage. Cette méthode constitue le seule solution pour les joints verticaux et les matériaux de grand format.

6 • Si le matériau est de petit format, vous pouvez appliquer du mortier sur la face de joint puis poser le matériau sur le lit de mortier et le tasser légèrement en tapant de légers coups avec la truelle.

7 • Actuellement, les matériaux de grand format sont pourvus d'une perforation étudiée pour la diffusion du mortier. Les éléments sont ainsi assemblés les uns contre les autres de façon très compacte. Les perfora-

10 • Différents outils de pose. 11 • Préparez votre mortier à l'aide d'un mélangeur.
12 • L'empreinte de l'outil prouve la bonne consistance du mortier. 13 • Étalez le mortier et posez le bloc.

tions sont ensuite coulées avec un mortier plus fluide. Un jointoiement selon la méthode traditionnelle ne convient qu'exceptionnellement à ce type de matériau.

8 • Certains matériaux spéciaux profilés ne nécessitent aucun jointoiement au mortier des joints verticaux. La réalisation de ce type de maçonnerie est très économique.
En règle générale, toute maçonnerie doit être appareillée, c'est-à-dire que les joints verticaux doivent être décalés d'un rang à l'autre. Les blocs creux, en brique silico-calcaire, en béton courant ou en béton léger ne se posent évidemment jamais comme boutisse pour d'évidentes raisons esthétiques.

9 • Si vous devez mettre en œuvre une grande quantité d'éléments de construction, vous pouvez utiliser un appareil spécial joint qui permettent d'appliquer les joints de mortier plus vite et plus régulièrement.

Les murs construits au mortier-colle

Les matériaux manufacturés offrant des dimensions standard, par exemple les blocs, sont maçonnés avec un mortier-colle. L'épaisseur des joints de mortier n'est alors que de quelques millimètres. Ce procédé est simple à mettre en œuvre par un bricoleur et s'apprend rapidement.

10 • Les fabricants offrent toute une panoplie d'outils spécialement adaptés au travail du béton cellulaire : des truelles plates de différentes tailles destinées à appliquer le mortier, une scie égoïne à main permettant de travailler le matériau, un gratton ou un chemin de fer de maçon pour obtenir une surface régulière, etc.

11 • Appliquez le mortier-colle en suivant les indications fournies par le fabricant.

12 • Si, après application, le mortier conserve les traces de l'outil avec lequel il a été étalé, cela signifie que sa consistance est parfaite.

11

12

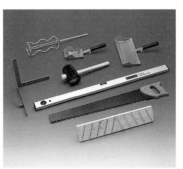

10

13

14 • Égalisez l'assise de la prochaine rangée en vérifiant l'horizontalité avec un niveau. 15 • Autre type de parpaing creux.
16 • Il existe également des matériaux pour faire de la maçonnerie à sec.

14

15

16

Avant d'appliquer le mortier, humidifiez toujours suffisamment l'assise. Cette opération est indispensable par temps chaud et sec, sinon la liaison entre le matériau et le mortier risque de se fissurer, voire de se rompre en raison du séchage trop rapide du mortier. Appliquez le mortier-colle sur le sol à l'aide d'une truelle adaptée. Si vous n'assemblez que quelques éléments, vous pouvez également utiliser une spatule dentée. Si vous utilisez des blocs à rainure et languette, il n'est pas nécessaire de réaliser des joints en mortier verticaux ; il suffit d'appliquer le mortier uniquement sur les joints horizontaux.

13 • Posez le bloc sur le lit de mortier et vérifiez l'horizontalité à l'aide d'un niveau à bulle. Le mortier doit encore « coller ». S'il est déjà trop sec, il faut l'enlever et le remplacer par du mortier frais. Tassez le bloc de béton cellulaire en frappant de légers coups avec un maillet en caoutchouc.

14 • À l'aide du gratton ou simplement de papier-émeri fixé à une taloche, grattez et égalisez la surface de l'assise pour obtenir une surface parfaitement lisse destinée à recevoir la rangée suivante.

15 • D'autres matériaux peuvent être également assemblés au mortier-colle. Quel que soit le matériau utilisé, il est important de poser la première rangée de matériaux avec le plus grand soin, car c'est la plus délicate à exécuter.

Construire un mur en maçonnerie à sec

16 • Les techniques actuelles de fabrication des matériaux de construction permettent de mettre en œuvre des blocs de béton léger aux dimensions standard qui comportent des faces d'about en formes de rainure et languette ou des rainures pour encastrement de lames de joints. Ces blocs sont **montés à sec**, c'est-à-dire emboîtés sans mortier. Les matériaux sont assemblés avec un décalage minimal des joints verticaux et revêtus ultérieurement d'un enduit selon la méthode traditionnelle.

☞ Le conseil du pro

Les fabricants fournissent des indications détaillées de mise en œuvre des mortiers-colles et des maçonneries à sec : consultez-les directement pour tous les projets de construction de grande envergure.

Construire et réparer un ouvrage de maçonnerie

Matériaux

Matériaux de construction, mortier.

Outillage

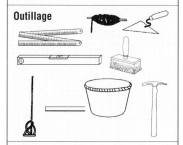

Niveau de difficulté

0	1	2	3

Force

0	1	2	3

Durée de réalisation

Pour réaliser une maçonnerie d'1 m^2 à l'aide de matériaux de construction de grand format assemblés au mortier ordinaire, il faut compter entre une heure et une heure et demie ; si vous utilisez du mortier-colle, comptez moins d'une heure.

Économie

Environ 150 francs par m^2.

La construction d'un ouvrage de maçonnerie nécessite la réalisation d'une structure porteuse : exécution de fondations sur radier, sur semelles filantes ou coulage d'une dalle de béton. Les **principes de base** sont les suivants : le mortier frais ne doit pas être exposé au gel ni à une trop forte chaleur, ce qui supprimerait son pou-voir d'adhérence. Les ouvrages de maçonnerie qui ne sont pas encore secs doivent être protégés de la pluie. Le temps de prise du mortier, variable selon la nature du mortier et les condi-tions climatiques, est de 1 à 3 jours. Avant d'entreprendre les travaux, cal-culez le nombre de parpaings néces-saire en fonction de l'importance de

1 • Égalisez la surface. 2 • Posez et montez la première rangée.
3 • Réalisez les angles avec des briques ou parpaings spéciaux.

1

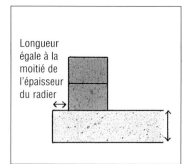

Longueur
égale à la
moitié de
l'épaisseur
du radier

2

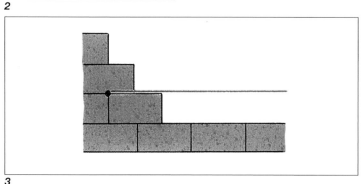

3

l'ouvrage. N'oubliez pas que les blocs seront posés avec rupture de joint. Il vous faudra donc un certain nombre de demi-blocs. Toutefois, faites en sorte de devoir travailler les matériaux le moins possible afin de parvenir rapidement à vos fins.

1-2 • Pour monter un mur, procédez de la façon suivante : la veille des travaux, égalisez la surface destinée à recevoir les matériaux afin de supprimer les aspérités et inégalités les plus importantes (supérieurs à 2 cm) avec du mortier ou une masse d'égalisation (enduit de lissage). Appliquez une couche de mortier régulière d'environ 2 cm d'épaisseur sur le sol. Humidifiez préalablement les sols très secs. Posez alors la première rangée de parpaings sur le lit de mortier en vous aidant d'un cordeau. Vérifiez

l'aplomb, l'alignement et le niveau des parpaings en procédant à des ajustements si nécessaire. Si une couche isolante s'avère indispensable, vous pouvez poser un carton bitumé sur le lit de mortier ; appliquez ensuite une deuxième couche de mortier (voir page 47). S'il s'agit de fondations sur radier, il faut construire le mur à distance du bord du radier (distance correspondant à la moitié de l'épaisseur du radier).

3 • Réalisez ensuite la construction d'angles en posant des demi-parpaings ou des écoinçons (matériaux d'angle). Commencez toujours par monter l'une des extrémités du mur (ou l'un des angles de la future construction) sur 4 à 6 rangées pour les matériaux de petit format ou sur 2 à 3 rangées pour les matériaux de format plus important, l'autre extrémité étant laissée provisoirement en escalier. Procédez à un ajustage en vérifiant l'aplomb et l'alignement des demi-parpaings à l'aide d'un niveau à bulle et d'une règle à niveler. Maçonnez ensuite les joints en effectuant des vérifications au cordeau.

4 • Toute maçonnerie doit être appareillée, c'est-à-dire que les joints verticaux doivent être décalés d'un rang

4 • Selon la disposition des briques, il est possible d'obtenir différentes épaisseurs de murs (①, ②, ③ et ④) et différents effets décoratifs (⑤, ⑥, ⑦ et ⑧).

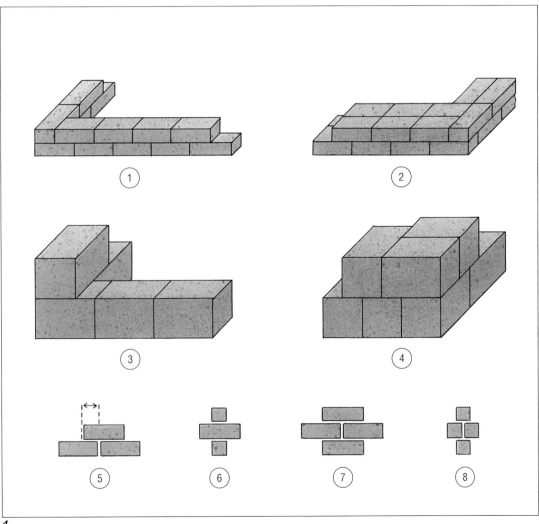

5 • Montez les angles... 6 • ...et vérifiez l'horizontalité au niveau à bulle.
7 • Tendez un cordeau pour obtenir un parfait alignement du mur. 8 • Utilisez un cadre à mortier pour la maçonnerie apparente.
9 • Encastrement d'une cloison dans un mur porteur. 10-12 • Autres solutions pour le montage d'une cloison.

5

8

6

9

7

10

à l'autre. Le **décalage minimal des joints** doit être au moins égal à 0,4 fois la hauteur du parpaing ; en principe, il doit être de plus de 4,5 cm (pour les matériaux de petit format). Ainsi, si le parpaing mesure 23,8 cm de hauteur, le décalage minimal des joints est de 10 cm environ et si le parpaing mesure 11,3 cm ou moins, le décalage représente au moins 4,5 cm. Si vous utilisez des matériaux de petit format, d'une hauteur inférieure ou égale à 11,3 cm, le décalage des joints correspond à la moitié de la longueur ou de la largeur du matériau, c'est-à-dire à 12 cm ou 6,25 cm. Pour les maçonneries destinées à rester apparentes, on peut réaliser toutes sortes d'appareils en disposant les éléments de différentes façons afin d'obtenir l'effet esthétique souhaité. La disposition la plus courante est en panneresses (4) et l'appareillage croisé (2). Pour les matériaux de grand ou de très grand format, le décalage minimal des joints verticaux représente souvent un tiers de la longueur du matériau ou la moitié de sa largeur (environ 12,5 cm). Sur le schéma sont représentés différents appareils adaptés aux épaisseurs de mur les plus courantes ainsi que différentes constructions d'angle.

13 • Colmatez également les joints abîmés en façade.

5-6 • Pour la construction des angles de maçonnerie, vérifiez régulièrement l'aplomb, l'alignement et le niveau du mur à l'aide d'un niveau à bulle et d'une règle à niveler (voir page 50).

7 • Pour obtenir un alignement parfait du mur, on utilise un cordeau de maçon que l'on tend fermement entre deux angles ou deux briques d'extrémité. Le cordeau est fixé à l'aide d'un clou ou à une pièce de bois solidement maintenue en place par le poids d'une grosse pierre. La parfaite verticalité du mur se contrôle à l'aide d'un fil à plomb que l'on fixe au bord supérieur du mur. Le meilleur réflexe que vous pouvez avoir est de vérifier sans cesse l'aplomb et l'alignement des parpaings.

8 • S'il s'agit d'une maçonnerie destinée à rester apparente, la disposition des joints doit être très régulière. Afin de réaliser un décalage régulier des joints verticaux, en reproduisant toujours la même distance, il existe un outil spécial, le gabarit, vendu dans la plupart des magasins de bricolage. Si vous voulez réaliser des joints de maçonnerie horizontaux réguliers, utilisez un « cadre à mortier ». Vous pouvez le fabriquer vous-même avec des baguettes de bois de 1,5 cm de hauteur et deux équerres.

Il est possible d'apporter des **corrections** minimes quant à l'épaisseur des joints si vous utilisez un mortier traditionnel. Toutefois, ces corrections restent de l'ordre du millimètre ou de quelques millimètres.

9-12 • L'**encastrement** d'une cloison dans le mur principal nécessite de réserver un espace adéquat dans le mur principal appelé **emboîture**. Un espace en saillie est également concevable. On peut procéder à un assemblage de la cloison et du mur principal en utilisant la **technique** dite **d'aboutement des joints** : des attaches spéciales sont insérées dans le joint de mortier du mur principal pour maintenir solidement la cloison. Cette opération ne peut être réalisée qu'avec des matériaux adaptés.

13 • Des mortiers à maçonner et des mortiers spécialement conçus pour colmater les joints défectueux et reboucher les fissures sont utilisés afin d'effectuer des **réparations extérieures**. Si vous décidez de réparer une pierre ou une brique abîmée, ôtez-la délicatement et enlevez le mortier. Appliquez un nouveau mortier sur toutes les faces du matériau, replacez la pierre ou la brique et travaillez les joints à l'aide d'une truelle à joint.

11

12

13

Jointoyer des murs en maçonnerie apparente

Matériaux

Mortier de jointoiement.

Outillage

Niveau de difficulté

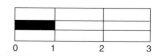

Force

Durée de réalisation

Comptez environ deux heures pour jointoyer 1 m² de maçonnerie apparente.

Économie

Vous économisez environ 300 francs pour le jointoiement d'une surface d'1 m².

Un mur en maçonnerie apparente est construit en briques de parement, en briques réfractaires ou en briques silico-calcaires et nécessite des joints réguliers. Lors du maçonnage d'un mur de ce type, évitez les salissures, par exemple en éclaboussant du mortier ; appliquez le mortier en couches bien régulières et ne laissez pas de vides ou interstices entre les éléments. Veillez également à protéger le mortier frais de la chaleur afin que l'eau de gâchage du mortier ne s'évapore pas trop rapidement.

Pour réaliser un mur extérieur en maçonnerie apparente, utilisez un mortier de ciment composé d'une mesure de ciment pour deux à trois mesures de sable. Un mortier bâtard composé d'une mesure de chaux, d'une mesure de ciment et de trois mesures de sable convient à un mur intérieur. Le sable ne doit pas être composé de grains trop gros (la taille des grains ne doit pas dépasser 4 mm). Il existe des mortiers de jointoiement prêts à l'emploi. Vous pouvez modifier la couleur de votre mortier de jointoiement en utilisant du ciment blanc ou gris ou en le teintant.

1 • Tel est l'aspect d'un **jointoiement réalisé selon les règles de l'art.** En général, le mortier de jointoiement

1 • Différents joints de façade pour maçonnerie apparente. 2 • Ôtez le mortier abîmé.
3 • Réalisez les joints à l'aide d'une truelle « langue de chat » par exemple. 4 • Lissez avec un tuyau.

utilisé pour un mur extérieur doit être légèrement en recul et incliné (1 mm maximum) pour protéger le mur des précipitations.

2 • Pour la rénovation, avant que le mortier se solidifie, dégarnissez et grattez les joints avec une baguette en bois dur sur une profondeur de 1,5 à 2 cm et ôtez le mortier abîmé.

3 • Humidifiez le mur s'il est trop sec. Pour maçonner les joints, utilisez un mortier relativement sec mais encore facilement malléable. Déposez une petite quantité de mortier sur la truelle à lisser ou la taloche et enfoncez profondément et vigoureusement le mortier dans les joints à l'aide d'une truelle à joint de façon que l'eau ne puisse pas y pénétrer ni endommager la maçonnerie.

4 • Travaillez la forme des joints avec la truelle à joint ou, lorsque le mortier commence à devenir plus pâteux, arrondissez les joints verticaux, puis les joints horizontaux avec l'extrémité d'un tuyau. Évitez de salir le mur dans les heures qui suivent et protégez le mortier encore frais de la pluie. Une fois le mortier sec, on peut supprimer les efflorescences dues aux remontées de laitance du ciment en appli-

quant un produit acide spécialement conçu à cet effet. Sachez qu'il existe des ciments spéciaux qui empêchent la formation d'efflorescences.
Réaliser simultanément la construction du mur et son jointoiement (en utilisant le même mortier) est une opération difficile pour un bricoleur, car il faut maîtriser en même temps deux techniques différentes.

Procédez à la **réfection des joints dégradés** de la façon suivante : dégarnissez les joints en ôtant le mortier détérioré et nettoyez-les pour enlever la poussière et les restes de sable. Mouillez préalablement l'endroit à réparer et garnissez les joints avec le nouveau mortier à l'aide de la truelle à joint, en adoptant un type de jointoiement semblable au précédent (conservez la même forme de joint).

2

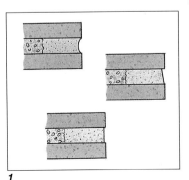
3

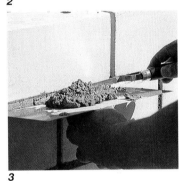
1

4

Réaliser une cloison

Matériaux

Matériaux de construction, mortier, mousse de colmatage.

Outillage

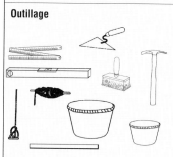

Niveau de difficulté

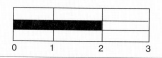

Force

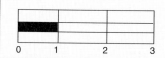

Durée de réalisation

Il faut compter environ huit à dix heures pour réaliser une cloison de 4 m de longueur et de 2,50 m de hauteur en utilisant un mortier-colle.

Économie

Environ 1 500 à 2 400 francs.

Les simples cloisons sont des murs intérieurs non porteurs qui offrent différentes possibilité de mise en œuvre.

Les cloisons nécessitent des **assises** suffisamment **porteuses**. La capacité de résistance aux charges des assises dépend bien sûr de la nature et du poids des charges qui s'exerceront sur elles. Afin de savoir si votre sol est suffisamment porteur, faites le calcul suivant : multipliez la masse volumique apparente du matériau utilisé par les dimensions de la cloison (longueur x largeur x hauteur). En règle générale, on utilise des matériaux relativement légers tels le béton cellulaire ou le béton léger qui pré-

1 • Dans un premier temps, posez le bloc d'angle. 2 • Posez la première rangée, en vérifiant son alignement.
3 • Posez le matin sur la face du joint à l'aide d'une spatule crantée.

sentent l'avantage d'être disponibles en blocs de faible épaisseur.

Une cloison de 4 m de longueur, de 2,50 m de hauteur et de 10 cm d'épaisseur réalisée à partir de ces matériaux pèse tout de même entre 600 et 800 kg.

Les assises qui offrent une bonne force portante sont les fondations sur radier. Cependant, les dalles de béton constituent des fondations suffisamment résistantes, surtout si la cloison se trouve à proximité d'un mur principal enterré. La réalisation de cloisons sur des poutres en bois porteuses est le plus souvent impossible. En revanche, il est parfaitement envisageable d'utiliser des traverses en acier ou poutrelles d'acier suffisamment larges. Une maçonnerie enterrée peut être porteuse, mais souvent des murs trop minces et des linteaux à faible résistance surmontant des ouvertures ne suffisent pas. En règle générale, les chapes flottantes constituent de mauvaises assises. **En cas de doute**, laissez à un professionnel le soin de contrôler ou d'évaluer la plus ou moins bonne qualité de l'assise.

Avant de commencer les travaux, n'oubliez pas de prendre en compte le principe suivant : les cloisons légères de faible épaisseur possèdent un pouvoir d'isolation acoustique médiocre.

Si vous souhaitez réaliser une parfaite isolation acoustique, utilisez des matériaux lourds comme la brique silico-calcaire ou construisez des cloisons légères doublées de plaques de plâtre et d'un matériau isolant. L'exemple suivant décrit la mise en œuvre d'une cloison dans le cadre de la construction d'une toiture. Les matériaux utilisés sont des blocs de béton cellulaire de 10 cm d'épaisseur maçonnés avec un mortier-colle. La structure porteuse est le mur enterré.

1 • Commencez par nettoyer et humidifier l'assise. La première rangée de blocs est posée sur un lit de mortier bâtard afin que les irrégularités du sol soient parfaitement nivelées. Après avoir appliqué le mortier, posez le bloc d'angle.

2 • Tendez le cordeau. À l'aide du cordeau, posez la première rangée de blocs sur le lit de mortier. Vérifiez soigneusement sa parfaite horizontalité avec un niveau à bulle et corrigez si besoin l'alignement en frappant de légers coups avec un maillet en caoutchouc.

3 • Pour les joints verticaux, enduisez de mortier l'extrémité du bloc déjà installé à l'aide d'une spatule crantée

4 • Jointoyez le mur principal et la cloison... 5 • ...et posez le premier bloc en rectifiant son alignement.
6 • Montez la cloison jusqu'au plafond. 7 • Autres solutions pour fixer une cloison dans un mur : fer rond et équerre du renforcement.

4

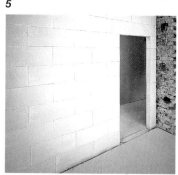

5

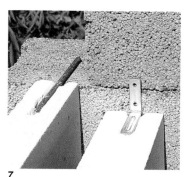

6 7

et posez immédiatement le bloc suivant. Tassez les blocs avec quelques coups de maillet.

4 • Liaisonnez la cloison et le mur principal existant avec un mortier-colle. Cette technique est ici la meilleure solution puisque le mur, à l'endroit de la jonction, offre une surface régulière favorable à la bonne adhérence du mortier.

5 • Appliquez le mortier avec la spatule crantée et tapez contre le bloc de béton à l'aide du maillet en caoutchouc. Vérifiez régulièrement l'alignement des blocs de béton à l'aide du niveau à bulle au fur et à mesure que vous montez la cloison.

6 • Lorsque vous arrivez presque au niveau du plafond, sciez les blocs à la hauteur adéquate et appliquez le mortier sur la dernière rangée de blocs avant de les poser. La meilleure solution pour boucher la fente résiduelle entre le plafond et la dernière rangée de blocs consiste à la garnir de mousse de colmatage.

7 • Si, malheureusement, le mur n'offre pas une capacité d'adhérence suffisante ou présente des irrégularités de surface, il convient d'utiliser d'autres procédés pour établir la jonction entre la cloison et le mur principal. Un procédé assez délicat et qui n'est pas toujours réalisable consiste à pratiquer un trou d'au moins 5 cm de profondeur dans le mur principal afin d'y encastrer la cloison. De nombreux fabricants recommandent d'enfoncer un fer rond dans le mur et de pratiquer une fente dans le bloc d'angle de la cloison destinée à recevoir le fer. On peut également utiliser des équerres de renforcement métalliques afin de consolider l'assemblage. Lorsque vous réalisez l'assemblage d'un mur et d'une cloison, n'oubliez pas de retirer préalablement le papier peint et de garnir soigneusement les joints avec du mortier ordinaire. Vous améliorerez ainsi l'isolation acoustique.

Construire une clôture

Matériaux

Matériaux de construction, mortier, chaperons.

Outillage

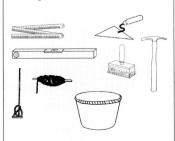

Niveau de difficulté

| 0 | 1 | 2 | 3 |

Force

| 0 | 1 | 2 | 3 |

Durée de réalisation

La construction d'un mur de clôture et de son enduit nécessite environ 2 à 3 h/m².

Économie

Environ 360 à 540 francs par m².

Les murs de clôture servent non seulement à délimiter une propriété, mais également à isoler des regards et des bruits.

1 • Les **clôtures** réalisées avec un mortier traditionnel reposent sur une fondation sur semelles filantes creusée à une profondeur suffisante pour être hors gel (page 12). La hauteur habituelle des murs de clôture va du muret (haut de 60 à 80 cm) au mur franc de 1 m à 2,60. Les murs très hauts doivent présenter une stabilité supplémentaire, c'est pourquoi ils sont stabilisés à l'aide de piliers latéraux. La formation de lézardes ou de fissures dans les murs de grande longueur peut être largement évitée en réalisant des joints structurels, dits de dilatation. Les joints de structure sont destinés à remédier aux retraits et dilatations thermiques ainsi qu'aux tassements différentiels des fondations ou du sol sous-jacent. Ces joints doivent être judicieusement distribués et concerner toute l'épaisseur de la maçonnerie sur environ 2 cm de largeur. En pratique, l'espacement maximal entre deux joints de structure consécutifs ne dépasse pas 20 à 25 m dans la moitié sud de la France et 30 à 35 m dans la moitié nord.

1 • Clôture sur semelle filante. 2 • Mur maçonné en brique.
3 • Protégez la construction en réalisant un chaperon.

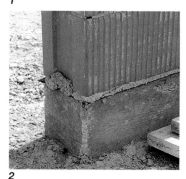

hauteur
du mur

profondeur
hors gel

1

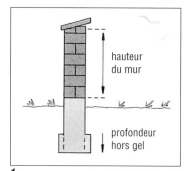

2

3

2 • Un **mur maçonné** est constitué de matériaux de construction (pierres, briques, moellons, etc.) assemblés avec un mortier étanche.

La semelle en béton peut être réalisée à même le sol. Si le matériau utilisé est sensible à l'humidité, intercalez un carton isolant bitumé posé sur un lit de mortier entre la fondation et le mur afin de lutter contre l'humidité (voir page 9). En outre, les murs de clôture peuvent rester apparents s'ils sont construits avec des briques de parement ou des briques silico-calcaires. Un **mur en maçonnerie apparente** repose soit directement sur une semelle de béton, soit nécessite d'être protégé d'un contact direct avec le sol par une couche de matériaux poreux drainants.

3 • Les murs jointoyés au mortier doivent être protégés de la pluie et du gel par un couronnement protecteur appelé chaperon. Celui-ci doit être légèrement incliné : on dit que le mur a « du fruit », le fruit étant la diminution d'épaisseur donnée à un mur à mesure qu'on l'élève, l'inclinaison ne portant que sur la face extérieure du mur, la face intérieure restant verticale. Afin de monter le mur avec du fruit, il faut respecter une pente sur la verticale de 15 cm par mètre. Le cha-

peron devra présenter un débordement d'au moins 5 cm. Tous les matériaux doivent être posés sur un lit de mortier et les plus absorbants nécessitent d'être préalablement mouillés.

4 • Les **clôtures en pierres naturelles** maçonnées au mortier doivent reposer sur des fondations sur semelle adaptées. Les pierres naturelles se présentent sous forme de moellons qui peuvent rester bruts ou être repris et assisés (moellons d'appareil). Le travail des pierres naturelles nécessite l'utilisation d'un marteau, d'un burin et d'outils spéciaux ; il dépend de la nature de la pierre et de l'aspect final souhaité.

La mise en œuvre des pierres naturelles est semblable à celle des matériaux transformés. Si vous envisagez de construire un mur en ***opus incertum***, maçonnerie à joints incertains dont les blocs de forme irrégulière composent des joints sans alignements, respectez les principes suivants : veillez à décaler les joints verticaux de telle sorte que ceux-ci soient disposés en quinconce ; utilisez un mortier suffisamment épais pour qu'il ne déborde pas sous le poids des pierres. Calez les pierres lourdes à l'aide de cales en bois que vous ôterez par la suite.

4 • Mur en pierres naturelles (maçonné au mortier). 5 • Mur en pierres sèches.
6 • Mur de terrasse.

Utilisez du mortier de ciment pour liaisonner les éléments de maçonnerie. La largeur d'un mur en moellons bruts doit mesurer au moins 40 cm. Posez d'abord les pierres d'angle, puis la première rangée de pierres sur un lit de mortier épais (au moins 2,5 cm d'épaisseur). Posez de préférence la surface lisse et régulière des pierres vers le haut et de façon légèrement inclinée jusqu'à la moitié de l'épaisseur du mur. Dans chaque rang, il est nécessaire de poser à intervalles réguliers un moellon formant toute l'épaisseur du mur, à raison de deux moellons par mètre environ. Des plots de mortier, des petites pierres ou des cailloux comblent les interstices laissés dans le mur. Ces pierres de calage sont enfoncées dans le mur et positionnées solidement en donnant quelques petits coups de marteau. Tous les joints doivent être garnis de mortier et lissés à l'aide d'une éponge humide.

5 • Les **murs en pierres sèches** reposent sur le sol ou sur une couche de sable d'environ 15 cm d'épaisseur qui permet un meilleur drainage des eaux. Ils doivent être relativement larges, par exemple le pied de mur doit mesurer 50 cm d'épaisseur pour un mur de 1 m de hauteur. La première rangée doit être constituée de grosses pierres. Élevez le mur de façon légèrement inclinée en respectant une pente sur la verticale de 5, 10, voire 15 cm par mètre. Procédez à un décalage des joints verticaux et ne superposez jamais les joints verticaux de deux assises en contact. Garnissez les gros joints de mortier en y insérant de petites pierres (garnis) pour parfaire l'arase.

6 • Les **murs de terrasse** peuvent être construits sans prendre appui sur des fondations en raison de leur faible hauteur ou être maçonnés en pierres sèches. Vous pouvez réaliser des chaperons pour protéger le haut du mur contre les intempéries. Ils dépassent de chaque côté du mur et sont dotés de larmiers sur leur face inférieure pour empêcher les eaux de pluie de revenir sur le mur et de s'y infiltrer.

⚠ **Le conseil de sécurité**

Si vous ne possédez pas suffisamment d'expérience pour construire un mur en pierres naturelles, travail qui donne beaucoup de peine, ne construisez pas un mur en moellons bruts jointoyés au mortier ou un mur en pierres sèches de plus de 1 m de hauteur.

4

5

6

Réaliser un rebord de fenêtre et condamner des ouvertures

Matériaux

Mortier, appui et rebord de fenêtre, tôles.

Outillage

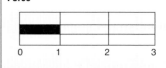

Niveau de difficulté

0   1   2   3

Force

0   1   2   3

Durée de réalisation

La réalisation d'un appui ou d'un rebord de fenêtre nécessite deux à trois heures de travail.

Économie

Environ 450 francs.

Les portes et les fenêtres existent en dimensions standard. Ainsi, si vous envisagez d'acheter ces éléments préfabriqués et de ne pas recourir au sur mesure, vous êtes tenu de réaliser votre maçonnerie et de pratiquer vos ouvertures en conséquence. Vous pouvez fixer vos fenêtres à l'aide de pattes à scellement et boucher le joint existant entre la fenêtre et la maçonnerie à l'aide de mastic, de mortier ou de mousse de colmatage.

1 • Afin d'obtenir la hauteur de fenêtre adéquate, rajoutez quelques matériaux de maçonnerie de petit for-mat. Une couche d'isolant thermique est positionnée entre le cadre fixe ou dormant et la partie mobile ou vantail. La tablette d'appui intérieure est sou-vent en pierre naturelle ou en bois, le rebord extérieur en tôle profilée.

2 • **L'appui intérieur** repose sur la maçonnerie, dans une niche profonde ou sur une console et s'encastre dans les deux parois latérales du mur sur 3 à 5 cm de profondeur. Pour poser l'ap-pui de fenêtre, pratiquez une encoche dans le mur et insérez-y l'appui.
Vous pouvez désormais appliquer le mortier bâtard, en veillant à ce qu'il ne

1 • Schéma de construction. 2 • Fixez la tablette d'appui de la fenêtre.
3 • Le rejingot est fixé au mur. 4 • Pour une fenêtre condamnée, alignez les briques avec le mur existant.

soit pas trop fluide. La tablette d'appui intérieure doit être posée à l'horizontale ou être légèrement pentue. Évitez de faire déborder le mortier en utilisant de cales de bois. Enfin, comblez tous les interstices à l'aide de la truelle à joint.

3 • Le **rebord extérieur** de la fenêtre , le rejingot, est composé généralement d'une tôle profilée enfoncée dans la maçonnerie qui sert de pièce d'appui. Le rejet d'eau de la fenêtre, appelé larmier doit se trouver à 5 cm au moins du mur. En effet, les rebords de fenêtre sont dotés d'un larmier afin d'empêcher l'eau de pluie de revenir contre le mur de la maison. Il est important de construire correctement et de consolider, si nécessaire, le rebord extérieur d'une fenêtre afin qu'il ne subsiste aucun joint mal colmaté dans lequel l'eau pourrait s'infiltrer. Égalisez avec du mortier la différence de hauteur entre le rebord et le cadre, consolidez la jonction entre la

☞ **Le conseil du pro**

Il est recommandé de fixer un rejingot en aluminium ou en zinc, qui résiste mieux aux intempéries. Dans le cas contraire, appliquez une peinture antirouille.

fenêtre et le rebord et garnissez la fente résiduelle à l'aide de la truelle à joint.

4 • Condamner une porte ou une fenêtre constitue l'un des travaux de maçonnerie les plus faciles à réaliser par un bricoleur. À cet effet, un mortier bâtard convient parfaitement. Retirez l'enduit du bâti dormant et réalisez une sous-couche au mortier pour niveler les inégalités de surface. Pour les pièces habitées, utilisez des matériaux offrant une bonne isolation thermique. La nouvelle maçonnerie doit être parfaitement alignée avec l'ancienne afin que l'enduit puisse être appliqué de façon régulière. Le linteau existant est laissé en place et il n'est généralement pas nécessaire de l'encastrer dans la maçonnerie. Bouchez le joint supérieur à la truelle à joint.

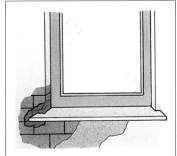

2

3

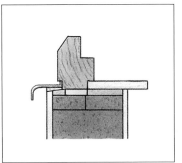

1

4

Creuser des saignées d'encastrement et réaliser un conduit de ventilation

Matériaux

Matériaux de construction, mortier.

Outillage

Niveau de difficulté

Force

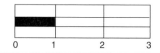

Durée de réalisation

Selon le type de maçonnerie, il faut comptez entre dix et vingt minutes pour creuser une saignée d'encastrement d'un mètre de longueur et y faire passer des câbles électriques.

Économie

Environ 30 à 45 francs pour une saignée d'encastrement d'un mètre.

Il est nécessaire de creuser des saignées d'encastrement dans les murs pour y faire passer câbles électriques, tuyaux d'alimentation et d'évacuation, tuyaux de radiateurs, etc.

Si vous réalisez des travaux de rénovation ou d'aménagement, veillez à réunir le maximum de conduites en un seul endroit pour éviter de devoir creuser un grand nombre de saignées en plusieurs points du mur.

N'oubliez pas que les tuyaux d'eau chaude nécessitent une bonne isolation thermique et les tuyaux d'évacuation une isolation acoustique adaptée.

1 • Les **saignées d'encastrement verticales** les plus larges sont réalisées de préférence sur une maçonnerie appareillée qui doit mesurer au moins 15 cm d'épaisseur. La largeur des saignées creusées dans le mur ne doit pas dépasser deux fois l'épaisseur du mur, leur profondeur ne doit toutefois pas dépasser la moitié de l'épaisseur du mur.

2 • La **réalisation de saignées d'encastrement bien après les travaux de maçonnerie** est devenue une opération très simple grâce aux méthodes modernes : on peut utiliser une pioche pour les matériaux mous

1 • Prévoyez les saignées dès la construction du mur. 2 • Réalisation d'une saignée verticale.
3 • Appliquez un enduit de lissage. 4 • Réalisation d'une cheminée de ventilation.

comme le béton cellulaire, sinon il existe des fraises pour rainurage, des perceuses et des dépoussiéreurs que l'on peut louer auprès de magasins spécialisés.

Il est plutôt déconseillé de creuser des rainures en tapant sur le mur avec un marteau et un burin, car cela risque d'affaiblir la maçonnerie. Les **saignées d'encastrement horizontales** risquent davantage d'affaiblir la maçonnerie et ne sont donc autorisées que sous certaines conditions : le mur doit mesurer au moins 24 cm d'épaisseur, les saignées d'encastrement ne doivent être creusées que dans le tiers inférieur ou supérieur du mur. Les blocs creux ne doivent recevoir des saignées horizontales que sur 1 cm ; quant aux blocs alvéolés, ils ne doivent pas être entaillés du tout. Les **saignées d'encastrement verticales** doivent avoir une largeur égale à l'épaisseur du mur et leur profondeur ne doit pas dépasser un sixième de l'épaisseur du mur. Elles doivent être pratiquées à 36,5 cm des ouvertures et être espacées d'environ 1,5 m.

3 • Le colmatage des saignées d'encastrement peut être réalisé selon différents procédés : les petites saignées sont simplement bouchées avec du mortier. Les grandes saignées nécessitent l'application de mortiers de rebouchage allégés spécialement conçus à cet effet. Puis terminez en appliquant un enduit de lissage pour préparer l'application d'une peinture ou le collage d'un papier peint.

4 • Il est souvent nécessaire de réaliser un **conduit** ou une **cheminée de ventilation** en maçonnerie dans les bâtiments anciens ou lorsque les murs sont minces pour masquer la tuyauterie. Ce conduit doit reposer sur un sol possédant une bonne capacité de charge et être encastré dans le mur principal. À cet effet, on utilise des matériaux très légers, par exemple le béton cellulaire, qui peuvent être facilement travaillés et découpés en blocs de faible épaisseur, si nécessaire.

2

3

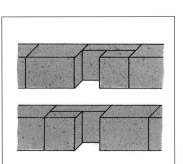

1

4

Réaliser un coffrage pour couler du béton

Matériaux

Banches, clous, étais, poteaux, cales de bois.

Outillage

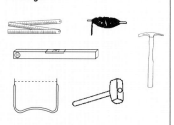

Niveau de difficulté

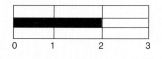

Force

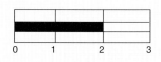

Durée de réalisation

La réalisation d'un coffrage pour semelle filante nécessite environ une heure par mètre.

Économie

Environ 150 francs par mètre

Le coffrage est un moule pour couler du béton et doit rester en place au moins jusqu'à la prise du béton. Si vous souhaitez donner au béton une forme particulière, vous devez délimiter sa surface en réalisant un coffrage, dispositif qui moule et maintient le béton coulé.

1-3 • Différents types de coffrage sont faciles à réaliser par un bricoleur : coffrage pour une dalle de béton, une fondation sur semelle filante ou les marches d'un escalier. Le choix d'un coffrage approprié dépend du sol de fondation, des possibilités de consolidation et d'étayage. Afin de procéder à un ajustement en hauteur, vous pouvez utiliser un niveau d'eau à flexible ou marquer des points de repère sur des piquets. Pour tracer des lignes droites de grande longueur, utilisez le cordeau de maçon.

Les coffrages doivent être stables et solides et le travail que vous exécutez doit être extrêmement soigné.

4 • Le travail le plus facile à réaliser est une simple **délimitation du terrain** : creusez le sol à l'aide d'une bêche avec une parfaite verticalité ; si vous envisagez de creuser très profondément, il est préférable d'utiliser une pelle mécanique. Posez un madrier afin que le bord du trou ne s'affaisse pas. Si vous souhaitez des finitions très soignées, posez des pièces de bois d'équarrissage au bord du coffrage avant d'étendre la dernière couche de béton tendre, ajustez-les et lissez la surface de béton.

Si le sol n'est pas suffisamment stable ou si la construction se trouve au-dessus du niveau du sol, il faut envisager un **coffrage en bois**. Si les conditions le permettent, il est préférable de recourir à des panneaux de coffrage préfabriqués ou coffrages industrialisés que vous pouvez louer auprès d'entreprises spécialisées. Ils sont composés d'un panneau de contrepla-

qué monté sur cadre métallique. Par conséquent, ils offrent l'avantage d'être indéformables et rigides.

Vous pouvez réaliser vous-même des **panneaux de coffrage** ou **banches** de forme et de dimension variées, en utilisant des planches de bois avivées d'environ 2 cm d'épaisseur, des baguettes et des clous. Les planches de bois sont maintenues entre elles par des baguettes ; les clous sont enfoncés puis rivés sur l'autre côté de la planche qu'ils traversent.

Les **coffrages les plus simples** sont maintenus uniquement par un poteau. Ces pièces de soutien (chevalements d'étais, contreforts, entretoises, raidisseurs, etc.) doivent être disposées de manière à supporter le poids ou la pression du béton sans aucune déformation et ne doivent pas être espacées de plus de 70 cm.

Lors de la réalisation du coffrage d'un mur, il est recommandé de mettre en place des **étais** de stabilisation afin de monter un mur en béton parfaitement droit ; dans le cas des bétons armés, on peut installer des **espaceurs** ou **distanceurs** afin de maintenir l'espacement indispensable entre les armatures et le coffrage.

Les **coffrages à cadre** réglables, conçus pour coffrer rapidement les **poteaux de béton** de plan carré ou

1

2

3

4 • Schémas de différents coffrages et systèmes d'étayage.

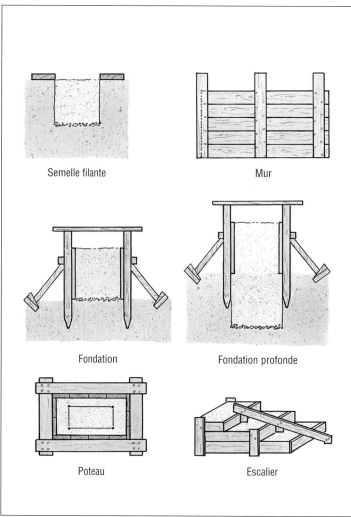

Semelle filante

Mur

Fondation

Fondation profonde

Poteau

Escalier

rectangulaire, sont composés de quatre banches orthogonales maintenues par des lattes ou des barres transversales qui doivent légèrement dépasser des panneaux. Ces lattes sont clouées aux panneaux et renforcées sur place avec des cales de bois. Il est également possible de réaliser soi-même le **coffrage de marches d'escalier**. S'il s'agit d'un escalier extérieur, il doit être réalisé sur des fondations sur semelles filantes suffisamment profondes pour être à l'abri du gel.

Les éléments réalisés en béton présentent des arêtes vives. Par conséquent, ils risquent de se démolir en partie lors du décoffrage, les angles étant particulièrement fragiles. Il est donc préférable d'**émousser** ou de **chanfreiner** les arêtes vives de l'ouvrage bétonné.

Afin de faciliter le décoffrage de l'ouvrage, il est nécessaire de huiler le coffrage avant emploi avec une **huile de décoffrage**. Une autre solution consiste à bien humidifier le bois avant de couler le béton.

☞ **Le conseil du pro**

Utilisez une huile de décoffrage biodégradable.

Réaliser des dalles de béton et des semelles filantes

Matériaux

Gravier à béton, ciment ou béton prêt à l'emploi, armatures (barres d'acier).

Outillage

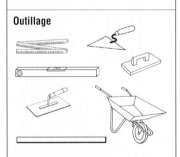

Niveau de difficulté

0	1	2	3

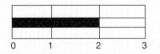

Force

0	1	2	3

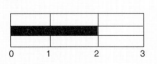

Durée de réalisation

Comptez trois à quatre heures pour bétonner une dalle de 10 m^2 et de 20 cm d'épaisseur.

Économie

Environ 1 200 à 1 800 francs pour une dalle de béton de ce type.

Bon nombre d'ouvrages en béton sont à la portée du bricoleur : dalles de béton pour allées et terrasses, fondations sur radier ou sur semelles filantes, etc. Toutes les constructions en porte-à-faux, par exemple les planchers en béton ainsi que les fondations destinées à supporter des charges très importantes font toutefois partie des travaux qu'il est préférable de confier à des professionnels. Le béton gâché sur place peut être travaillé pendant une demi-heure à une heure selon les conditions climatiques, alors que le béton prêt à l'emploi, qui contient, en outre, un retar-

1 • Radier, fondation, dalle sur semelle filante.

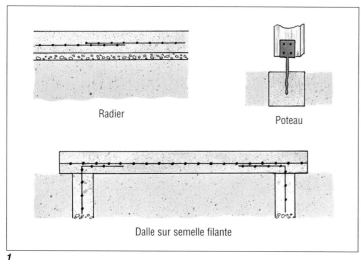

Radier

Poteau

Dalle sur semelle filante

1

mieux adaptée à la plupart des travaux courants.

1 • Les dalles de béton servent à réaliser un sol plat et régulier, par exemple un sol de terrasse ou à construire des fondations aptes à supporter un ouvrage de maçonnerie. Quelles que soient leurs dimensions, les **dalles de béton** sont réalisées selon le principe suivant : creusez une excavation parfaitement horizontale, puis réalisez un coffrage. La dalle de béton doit reposer sur une couche de béton de propreté d'environ 5 cm d'épaisseur, composée de ciment, de sable et de gravillons, qui permet au béton coulé ultérieurement de ne pas se mélanger avec la terre de l'excavation. Le béton de propreté va constituer un fond de fouille propre sur lequel vous placerez les armatures avant de déverser le béton de la dalle. Lorsque la dalle doit présenter une certaine inclinaison, vous pouvez modifier l'épaisseur du béton, mais le fond de l'excavation doit rester parfaitement horizontal. Cette pente doit être de 1 à 2 cm par mètre. Le béton est coulé jusqu'au niveau de l'arête supérieure du coffrage puis nivelé avec une règle.

L'épaisseur moyenne d'une dalle de béton est comprise entre 15 et 20 cm.

dateur de prise, se travaille beaucoup plus longtemps.

Si vous êtes amené à stocker provisoirement votre béton, protégez-le du rayonnement solaire. Évitez d'exécuter le bétonnage par temps froid (au-dessous de 0 °C), car le gel peut provoquer éclatement et fissurations.

Il est souvent conseillé d'armer le béton en incorporant des armatures d'acier ou un treillis soudé afin de lui donner une résistance plus élevée. Les barres d'acier sont surtout utilisées pour la réalisation de poteaux, linteaux et fondations, tandis que les treillis soudés sont souvent utilisés

pour ferrailler une dalle. Les armatures sont découpées aux dimensions voulues à l'aide d'une scie à métaux. Une armature doit offrir une épaisseur maximale de 1 cm et être parfaitement enrobée d'une couche de béton dont l'épaisseur est comprise entre 5 et 8 cm.

Réalisez un dosage du béton adapté au type d'ouvrage que vous souhaitez réaliser : dallages extérieurs, fondations et semelles en fouille ou travaux courants (voir page 27). Il existe en effet des mélanges types pour chacune des utilisations du béton. Le béton plastique est la consistance la

2 • Damez le béton : c'est le vibrage. 3 • Nivelez la surface du béton frais.
4 • Pour de plus grandes surfaces, fabriquez-vous un outil adéquat. 5 • Armez le béton en y insérant un treillis soudé.

Si la dalle de béton doit servir de dalle de fondation, calculez à quelle profondeur elle doit être coulée pour rester à l'abri du gel.

2 • Une fois le coffrage terminé, le béton est transporté sur place avec une pelle, une brouette ou une benne. Le béton est ensuite réparti sur le sol à l'aide d'une pelle, puis damé.

3 • Coulez le béton dans le coffrage de façon qu'il dépasse légèrement du coffrage. Prenez alors une règle et nivelez la couche de béton en effectuant des mouvements de va-et-vient : on appelle cette technique « tirer à la règle ». Selon les dimensions de la dalle de béton, lissez la surface à la taloche, à la lisseuse ou à l'aide d'une latte de bois rectiligne.

4 • Lorsqu'il s'agit de surfaces plus importantes, on utilise uniquement une règle munie d'un manche pour dresser la surface. Vous pouvez fabriquer très facilement ce type d'outil : procurez-vous une latte de bois d'environ 1 m de longueur et 20 cm de largeur ; chanfreinez les arêtes longitudinales et polissez-les à l'émeri. Le manche est fixé à la latte mais doit rester mobile. Il peut se produire un

phénomène de bullage du béton, surtout s'il s'agit d'un béton plastique. Ne vous inquiétez pas, ces bulles disparaîtront lors du séchage.

5 • Il est souvent nécessaire d'**armer** le béton. On y incorpore alors un treillis soudé sur une longueur d'ancrage égale à un tiers de la hauteur de la dalle. Aux points d'ancrage, le béton recouvre le treillis sur 15 cm environ. Dans ce cas, coulez une petite quantité de béton jusqu'à un niveau égal à la moitié de la hauteur de la dalle, posez le treillis soudé et coulez le reste du béton.

6 • En règle générale, les **fondations sur semelles filantes** servent à soutenir un mur. La fondation sur semelle filante la plus simple est destinée à supporter un **mur de refend** supplé-

3

4

2

5

6 • Fondations sur semelles filantes.

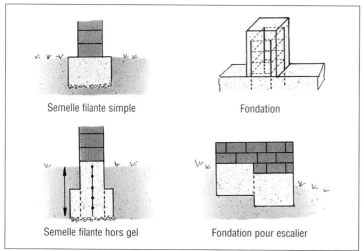

Semelle filante simple

Fondation

Semelle filante hors gel

Fondation pour escalier

6

mentaire, construit après les travaux de gros œuvre.

La fondation doit avoir une largeur supérieure de moitié à celle du mur envisagé, c'est-à-dire au moins 20 cm de largeur et 30 cm de profondeur. Afin d'assurer une plus grande stabilité à l'ouvrage lorsque le sol est médiocre, il est possible d'ajouter des armatures d'acier que l'on laisse se chevaucher sur 20 cm au niveau des points d'ancrage, soit sur un tiers de la hauteur des fondations.

Les fondations sur semelles filantes destinées à soutenir un mur **extérieur**, par exemple un mur de clôture,

doivent être réalisées à une profondeur suffisante pour les mettre hors gel. Ces profondeurs (hors gel) varient de 0,25 m à 0,90 m et cela pour une altitude inférieure à 150 m. Majorez la profondeur de 5 cm par élévation d'altitude de 200 m. Ces dispositions sont valables pour tous les types de fondations superficielles. Le gel risquerait en effet de faire éclater le béton ou de surélever l'ouvrage.

Il n'est pas nécessaire de réaliser un coffrage pour des fondations sur semelles filantes ancrées dans le sol, car ce type de travail demande beaucoup d'efforts. Si, en creusant la tran-

chée des fondations, le sol ne s'effondre pas, envisagez la solution suivante : creusez le sol avec précaution à l'aide d'une pelle. Creusez une tranchée suffisamment large pour y travailler avec aisance. Le sol doit être creusé à l'aplomb du mur selon une parfaite verticalité ; la tranchée ne doit pas se rétrécir vers le bas pour se terminer en pointe. Si le sol n'est pas un « bon sol », la partie inférieure des fondations doit être plus large. En revanche, si la qualité du sol est excellente, une largeur de fondations égale à celle du mur suffit amplement. Après avoir bétonné la partie inférieure des fondations et après la prise du béton, réalisez le coffrage de la partie supérieure.

7-8 • Coulez le béton dans le coffrage à ras bord, puis nivelez la couche de béton. Le compactage est réalisé à l'aide d'une pièce de bois équarri ou d'un pilon à main. Enfin, lissez la surface à la taloche et à la truelle à lisser.

9 • Afin de ferrailler des fondations sur semelles filantes particulièrement hautes, vous pouvez enfoncer verticalement des fers ronds torsadés dans le béton et les laisser dépasser de 20 cm environ au niveau des points d'ancrage.

7 • Nivelez la surface. 8 • Terminez en réalisant le lissage.
9 • Ferraillez les semelles filantes. 10 • Mur d'appui terminé.

10 • Tel est l'aspect d'un mur d'appui de 20 cm d'épaisseur et élevé à environ 1 m au-dessus du sol.

Les pieds de fondations destinés à soutenir un muret sont souvent associés à des **poteaux en béton** coffrés et bétonnés après le durcissement des fondations. Une solution simple destinée à armer les poteaux en béton consiste à ancrer quatre barres d'acier sur au moins 20 cm de profondeur lors du bétonnage de la fondation, puis de les maintenir ensemble et de les stabiliser avec un fil métallique. Les armatures sont utilisées et coulées dans le poteau.

Le béton courant doit être laissé dans le coffrage pendant quelques jours, entièrement recouvert d'une bâche plastique ou mouillé régulièrement afin de rester humide. Ce dispositif empêche le béton de sécher avant d'avoir atteint sa dureté définitive. Le décoffrage peut être réalisé au bout de deux à trois jours selon les conditions atmosphériques.

Les **dalles de béton** sont réalisées avec des granulats à granulométrie plus fine (0-8 mm). Procédez de la façon suivante : choisissez un béton de consistance relativement ferme, damez-le, puis nivelez-le à la taloche et lissez-le à la truelle à lisser ou à la lisseuse.

Les dalles de béton doivent également comporter des joints de dilatation, composés par exemple d'une bande de feutre bitumé. Les dalles indépendantes doivent être réalisées sans joints de dilatation et offrir une surface maximale de 6 x 6 m.

Les poutres en bois destinées à des constructions en bois extérieures ne sont pas directement bétonnées, de manière à les protéger plus efficacement du pourrissement, mais simplement ancrées dans des **poteaux**.

Les fondations sur semelles filantes non armées doivent comporter des **joints de dilatation** environ tous les 5 m. Par exemple, on peut fixer une bande de carton comprimé tous les 5 m et couler soigneusement le béton dans le coffrage de part et d'autre du carton.

8

9

7

10

Confectionner une chape

Matériaux

Granulats de granulométrie comprise entre 0 et 7 mm, ciment ou mortier prêt à l'emploi.

Outillage

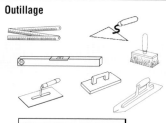

Niveau de difficulté

Force

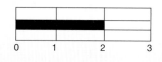

Durée de réalisation

Il faut environ cinq heures pour confectionner une chape de 20 m^2.

Économie

Environ 120 francs par mètre carré de chape.

Une chape est un sol lisse et régulier, très solide, directement praticable tel quel (si la chape est laissée brute et apparente) ou qui peut être recouvert d'un carrelage ou d'une moquette.

1 • Une **chape incorporée** est une chape posée directement sur le sol. Une **chape flottante** est une chape mise en œuvre sur un isolant thermique ou acoustique qui doit s'affranchir de tout contact avec le sol et les parois verticales. La **chape désolidarisée** est mise en œuvre lorsqu'il y a risque d'humidité entre le sol et la chape : elle est posée sur une couche séparatrice d'isolation contre l'humidité. Une **chape inclinée** est une chape posée selon une légère pente (environ 1 à 2 cm par mètre) afin de permettre l'évacuation de l'eau.

2 • La chape est composée d'un mortier de ciment dosé de la façon suivante : une part de ciment pour trois parts de sable ou de gravier à granulométrie comprise entre 0 et 8 mm. Si vous gâchez vous-même votre mortier, sachez qu'il existe des adjuvants qui améliorent la résistance à l'usure et l'ouvrabilité du mortier. Les mortiers pour chapes existent sous forme sèche (mortiers secs) ou sous forme de mortiers humides prêts à l'emploi. Ils exigent un gâchage long et intensif à la bétonnière s'il s'agit de quantités importantes ou au fouet électrique pour les petites quantités. Lors de l'égalisation de la chape, si le mortier est trop humide il se forme des bulles qui rendent la mise en œuvre plus difficile et ne permettent pas d'obtenir une surface suffisamment dure.

3 • Si vous souhaiter obtenir une chape plane et régulière, utilisez des lattes de guidage régulièrement espacées et une règle à niveler, nécessaire à la parfaite horizontalité de la chape. À cet effet, vous pouvez déterminer le niveau de la chape (et en conséquence son épaisseur) à partir d'une

1 • Différents types de chapes.

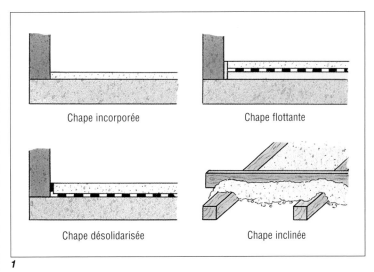

Chape incorporée

Chape flottante

Chape désolidarisée

Chape inclinée

1

ligne tracée sur les murs. Disposez les lattes de guidage en les calant sur des cales de bois dans le mortier qui assureront à la fois la bonne hauteur de la chape et sa parfaite horizontalité. Les lattes de guidage, qui mesurent entre 1,5 et 2 m de longueur, sont disposées de manière à diviser la surface totale de la chape en plusieurs parties que vous travaillerez l'une après l'autre. Les lattes sont retirées une fois le nivelage terminé. Les **chapes adhérentes** ou **incorporées** reposent directement sur la dalle de béton brute et doivent présenter une épaisseur minimale de 2,5 cm.

Avant de poser les lattes de guidage, appliquez un enduit liquide composé de ciment et d'eau, appelé barbotine ou un mélange prêt à l'emploi afin d'améliorer l'adhérence de la chape. Déversez alors le mortier entre les lattes et compactez-le à la truelle. Travaillez sur de petites surfaces (1 à 3 m^2).

4 • Appliquez le mortier en une couche un peu plus épaisse que la hauteur prévue et ôtez le mortier excédentaire avec une latte équarrie ou une règle à niveler selon un mouvement de va-et-vient : vous égalisez ainsi la

2 • Consistance du mortier. 3 • Compactez et lissez le béton à la truelle.
4 • Égalisez la surface à l'aide d'une règle. 5 • Ragréez la surface à la taloche.

2

3

4

5

chape en faisant glisser la règle sur les lattes de guidage. Comblez les vides de mortier et répétez le même procédé. Enfin, retirez avec précaution les lattes et les cales, comblez à nouveau les vides de mortier et nivelez la surface avec une latte équarrie.

5 • Prenez ensuite une taloche de grande taille pour effectuer le lissage (ragréage) de la chape en exerçant une légère pression sur la surface et en décrivant des mouvements circulaires suffisamment amples. Comblez les dénivellations éventuelles.

6 • Lissez alors la surface avec une truelle à lisser ou une lisseuse.

7 • Si vous souhaitez obtenir une surface particulièrement lisse et résistante, vous pouvez répandre à la main ou saupoudrer à l'aide d'une vieille

passoire un peu de ciment pur sur la surface encore humide. Vous obtiendrez ainsi une chape à la fois extrêmement solide et d'une texture très fine. Si la surface tend à devenir trop sèche, aspergez-la de quelques gouttes d'eau avec les doigts.

Procédez de la même façon pour le reste de la chape jusqu'à ce qu'elle soit entièrement achevée.

Une **chape désolidarisée** est une chape coulée sur une couche séparatrice étanche composée d'une feuille plastique résistante ou d'un papier d'étanchéité bitumé. Le papier bitumé doit être relevé sur 10 à 15 cm en périphérie pour éviter les infiltrations. Le revêtement d'étanchéité est donc relevé jusqu'au niveau de la chape et l'excédent est coupé avec soin. Si les remontées d'humidité provenant du sol sont à craindre, il est préférable de souder les revêtements ou panneaux d'étanchéité. La chape désolidarisée est réalisée exactement selon le même procédé que la chape ordinaire et doit offrir une épaisseur comprise entre 2,5 et 4 cm maximum.

8 • Les **chapes flottantes** sont mises en œuvre sur une couche d'isolant acoustique (panneau d'isolation contre les bruits d'impact) ou thermique (fibres minérales, matériaux isolants naturels ou synthétiques) offrant une force portante suffisante et parfaitement adaptée à ce type d'usage.

Posez le matériau isolant en évitant de laisser des vides et appliquez sur les bords une bande isolante. Recouvrez l'isolant d'une feuille plastique pour éviter qu'il soit mouillé par l'eau de gâchage du mortier. Le matériau isolant ne doit être installé que sur des madriers (80 x 230 mm ou 76 x 225 mm). En effet, il doit être supporté par des éléments suffisamment porteurs car il ne résiste pas à des charges ponctuelles importantes. La chape doit mesurer au moins 4 cm d'épaisseur. Lorsque les charges à supporter sont plus lourdes que prévu, on peut mettre en place un treillis soudé au milieu de l'épaisseur de la chape qui dépasse d'environ 10 cm.

Pendant son séchage, protégez la chape du soleil, de la pluie et du gel. Recouvrez-la d'une feuille plastique ou de tout autre matériau afin de la conserver suffisamment humide et d'éviter une dessiccation trop rapide. Une chape est entièrement sèche au bout de quatre semaines environ.

9 • Il existe dans le commerce des produits prêts à l'emploi à prise rapide pour la réalisation d'une chape

et qui durcissent en quelques heures seulement.

La confection d'une chape de grande dimension nécessite une certaine habitude, surtout si l'on souhaite obtenir une surface parfaitement plane et lisse. Vous pouvez également recourir à des chapes dites sèches, éléments à base de plâtre ou de fibres de bois assemblés par rainure et languette. Ces éléments peuvent ensuite être collés, de préférence avec une colle au polyvinylacétate. Les panneaux collés sont ensuite pressés les uns contre les autres à l'aide de coins fixés aux murs. Les revêtements de sol doivent être posés immédiatement après l'installation des panneaux, sinon ceux-ci doivent être recouverts d'une feuille de polyéthylène afin d'éviter la dessiccation trop importante de leur surface et les empêcher de se salir lors des travaux ultérieurs.

7

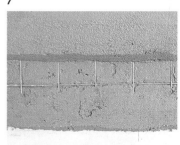

8

6

9

Réparer des dalles de béton et des chapes

1 • La dalle est cassée au niveau de l'un des angles. 2 • Dans un premier temps, appliquez un primaire à la brosse.
3 • Réparation de marches d'escalier. 4 • Pose d'un enduit de ragréage.

Matériaux

Béton, mortier pour chapes ou autre enduit de réparation.

Outillage

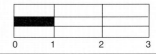

Niveau de difficulté

0	1	2	3

Force

0	1	2	3

Durée de réalisation

Comptez environ deux heures pour obtenir une surface rénovée de 10 m^2 environ.

Économie

Environ 300 francs pour réparer une surface de 10 m^2.

Si vous souhaitez effectuer des travaux de réparation de ce type, employez des produits prêts à l'emploi à base de ciment présentant des propriétés particulières : granulométrie fine, résistance élevée et prise rapide. Vous pouvez toutefois gâcher vous-même un mortier de réparation. À cet effet, utilisez du sable de différentes granulométries en fonction des travaux à réaliser : pour les réparations importantes, la granulométrie peut être comprise entre 0 et 8 mm, pour des couches moins épaisses, les grains doivent être plus fins (entre 0 et 4 mm) et pour les petites réparations, le sable doit être extrêmement fin (entre 0 et 1 mm). En règle générale, il faut mélanger une part de ciment et trois parts de sable. Cependant, pour les dalles ou chapes extérieures soumises à de fortes charges, il faut gâcher une part de ciment et seulement deux parts de sable. Certains adjuvants (plastifiants) permettent d'accroître la plasticité du mortier, de retarder la prise (retardateurs) ou d'obtenir un mortier étanche (produit hydrofuge). Ils sont simplement ajoutés et mélangés à l'eau de gâchage.

1 • La préparation du support revêt une importance particulière : il doit être propre, sain, dépoussiéré et exempt de toute trace d'huile de décoffrage, de peinture ou de graisse. Préparez donc un support impeccable en veillant à ce que le sol soit nivelé et lisse aux endroits soumis à des charges importantes.

2 • Afin que le mortier de réparation adhère suffisamment au support, il est indispensable d'appliquer une **primaire d'adhérence**. Parmi tous les produits disponibles prêts à l'emploi, choisissez celui qui vous a été recommandé par des spécialistes. Si vous préférez faire des réparations avec un mortier gâché par vos soins, vous pouvez préparer une barbotine, composée d'un litre d'eau et d'un kilogramme de ciment. Mouillez préalablement le support. Appliquez ensuite la barbotine sur le support encore humide à l'aide d'une brosse et, enfin, étalez le mortier.

3 • Si vous envisagez de réparer des éléments en béton soumis à des charges répétées, comme des **marches d'escalier**, utilisez de préférence des mortiers de réparation. Au besoin, réalisez un coffrage.

4 • Les **enduits de ragréage** et **de lissage** des sols permettent de niveler et de lisser les irrégularités de surface,

par exemple avant la pose d'un revêtement de sol. Ils peuvent être appliqués en couches minces (1 à 5 mm). Procédez de la façon suivante : coulez le mortier sur le sol, puis répartissez-le. Il est inutile de lisser la surface : ces produits sont autolissants.

Il est indispensable d'ôter la rouille sur les **armatures** exposées à l'air par brossage métallique, grattage ou sablage et d'appliquer un antirouille adapté destiné à prévenir la corrosion. Appliquez ensuite un bouche-pores sur la zone altérée.

⚠ **Le conseil de sécurité**

Il est préférable de confier à un spécialiste les travaux de réparation importants affectant les armatures métalliques des maçonneries porteuses.

2

3

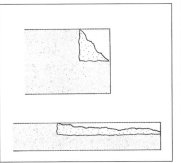
1

4

Appliquer un enduit ou un crépi

Matériaux

Sable,
ciment ou mortier prêt à l'emploi.

Outillage

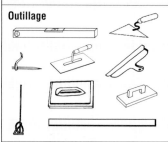

Niveau de difficulté

0   1   2   3

Force

0   1   2   3

Durée de réalisation

Il faut compter environ une heure, y compris les travaux de préparation, pour appliquer un enduit sur une surface d'un mètre carré selon la nature et l'état du support ainsi que le mode d'application.

Économie

Environ 90 à 120 francs pour une surface d'un mètre carré.

Un enduit est une couche de mortier appliquée sur une paroi de maçonnerie brute, appelée support, en général pour lui donner une surface uniforme et plane, mais également pour la protéger des intempéries, l'isoler et constituer un parement uniforme à caractère décoratif. Il existe de multiples procédés d'application et de structuration d'un enduit. Cet ouvrage se limite à la mise en œuvre des enduits traditionnels et des enduits prêts à l'emploi.

1 • Sur cette photo sont représentés quelques outils qui facilitent la mise en œuvre d'un enduit : une taloche de taille moyenne, une taloche de petite

1 • Différents outils servant à l'application d'un enduit. 2 • Enduit multicouche et monocouche.
3 • Mouillez les supports absorbants avant l'application d'un enduit à l'aide d'un pulvérisateur.

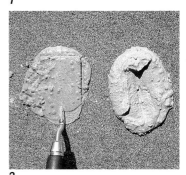

1

2

3

taille, une truelle à lisser, une taloche éponge, une règle et un gratton.

2 • Les enduits classiques sont des **enduits multicouches**.
La première couche, ou gobetis, est une couche très mince (environ 0,5 cm) qui permet l'accrochage de l'enduit au support ; la deuxième couche (1,5 à 2 cm) constitue le corps de l'enduit : c'est le bouclier étanche et la couche de rattrapage des inégalités de surface ; la troisième couche ou couche de finition (0,2-1 cm) a un rôle esthétique et, selon l'aspect souhaité, elle peut être lisse ou structurée.
En outre, il existe des **enduits monocouches** d'imperméabilisation et de parement. Le domaine d'application et les dosages adéquats des enduits traditionnels multicouches sont décrits en page 25. Dans bon nombre de cas, il est toutefois recommandé d'utiliser des mortiers prêts à l'emploi.

3 • Afin de réaliser une application correcte de l'enduit, respectez les règles de base suivantes :
• le support doit être propre, dépoussiéré et exempt de traces de graisse, d'huile de décoffrage ou de peinture. Utilisez un balai-brosse pour ôter la poussière ;

• les maçonneries neuves ne doivent recevoir un enduit que quelques semaines après l'achèvement du gros œuvre ;
• les mortiers gâchés sur place peuvent être travaillés pendant près d'une heure ; les mortiers prêts à l'emploi plus longtemps ;
• les supports absorbants doivent être mouillés plusieurs jours avant la réalisation du travail et pour la dernière fois la veille de l'enduisage. Les supports très absorbants (brique perforée, brique silico-calcaire, béton cellulaire) nécessitent un mouillage abondant, alors que les matériaux moins absorbants (certaines qualités de briques), voire très faiblement absorbants (blocs de béton courant et de béton léger) n'exigent qu'une humidification modérée ;
• ne pas appliquer un enduit en cas de gel ou de risque de gel. Jusqu'à sa prise, l'enduit doit être protégé de la pluie ou d'un rayonnement solaire trop fort ;
• commencez par faire des essais sur de petites surfaces.

Les mortiers offrent différentes **consistances**. Le gobetis est fluide, les deuxième et troisième couches de nature plutôt onctueuse.

4 • Aspect du gobetis sur des briques alvéolaires. 5 • Aspect du gobetis sur des briques silico-calcaires.
6 • Mouvement de la truelle pour l'application d'un gobetis. 7 • Appliquez ensuite l'enduit.

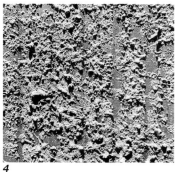

4

5

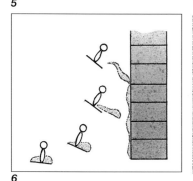

6

7

4-5 • Si vous employez un enduit traditionnel exécuté en **trois couches**, commencez par appliquer le gobetis après avoir humidifié le support. Afin de réaliser un gobetis, il est nécessaire de gâcher un mortier de ciment liquide selon le dosage suivant : une part de ciment pour trois parts de sable d'une granulométrie comprise entre 0 et 7 mm. Un mortier très fluide donne un gobetis semi-opaque, un mortier modérément fluide un gobetis opaque. Constitué d'une couche de mortier rugueuse, le gobetis offre une excellente surface d'accrochage pour la couche suivante.

6 • Appliquez le gobetis par projection à la truelle rectangulaire en une couche mince rugueuse, plutôt fluide. N'appliquez le corps d'enduit que lorsque le gobetis est suffisamment sec : le délai d'application après réalisation de la première couche est d'au moins 48 heures, mais il dépend beaucoup des conditions climatiques. Appliquez alors la deuxième couche ou **corps d'enduit** après avoir humidifié suffisamment le gobetis. Afin d'obtenir une surface régulière, il convient toutefois de rattraper les inégalités de surface importantes (cavités de plus de 3 cm de profondeur) la veille de l'application du corps d'enduit.

7 • Jetez le corps d'enduit à la truelle, comme pour le gobetis. Le jeté de truelle doit être souple et aussi régulier que possible.

8 • Prenez ensuite une latte de bois rectiligne (8 cm de largeur) à arêtes vives ou une règle et nivelez les irrégularités du mortier en effectuant un mouvement de va-et-vient : on appelle cette opération le dressage à la règle.

9 • Comblez les vides et nivelez jusqu'à obtenir une surface parfaitement plane. Prenez alors la taloche de taille moyenne, humidifiez-la et resserrez-la en effectuant de grands mouvements circulaires. Cette couche est donc resserrée par talochage, mais non lissée.

8 • Réalisez le dressage de l'enduit. 9 • Puis, effectuez le talochage de la surface.
10 • Surface obtenue. 11 • Vous pouvez fixer des lattes de bois pour obtenir une régularité parfaite.

10 • L'opération précédente entraîne souvent à la surface de l'enduit la formation de particules légèrement brillantes qui empêchent la bonne adhérence de la couche de finition. Grattez donc la surface avant la prise complète de l'enduit, de préférence avec un gratton ou du papier-émeri à gros grain.

11 • Lorsqu'il s'agit d'enduire des surfaces plus importantes, fixez des **lattes de bois** verticalement contre le mur afin d'obtenir des surfaces parfaitement régulières.

Utilisez des lattes d'environ 8 mm d'épaisseur fixées au mur avec des chevillettes de maçon. Ces lattes vous permettront de régler les épaisseurs des différentes couches et de les tirer. En outre, espacées régulièrement les unes des autres sur une distance comprise entre 1,20 et 1,80 m, elles divisent la surface de travail en plusieurs zones que l'on peut traiter progressivement. Avant de fixer les chevillettes, retirez les granulats grossiers du gobetis et ajustez les lattes à l'aide d'un niveau à bulle. Le corps d'enduit vous donne une surface bien plane : tirez le mortier à l'aide d'une règle que vous faites glisser sur les lattes verticales.

12 • Les fenêtres sont également travaillées à l'aide de ce système de lattes. Il est préférable de tailler légèrement en chanfrein l'embrasure de la fenêtre. Pour les arcs de décharge, vous pouvez utiliser des bandes de carton comprimé en guise de calibrage. Des cornières protectrices ou protège-angles peuvent également remplir cette fonction.
La structure définitive de l'enduit est obtenue par la troisième couche ou **couche de finition**. Le délai d'application après réalisation de la deuxième couche est d'au moins 4 à 8 jours, 15 jours pour obtention d'une teinte homogène ; ce délai doit être augmenté par temps froid ou en cas de forte humidité.
Sa fonction est essentiellement esthétique, mais elle contribue à l'imperméabilisation de l'ensemble. Dans le cas de maçonneries extérieures, il

9

10

8

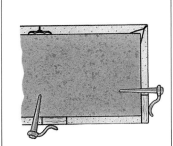
11

12 • Fixation de la fenêtre.
13-14-15 • Différents motifs obtenus en travaillant différents enduits.

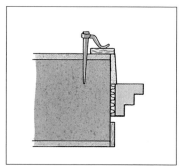

12

13

14

15

s'agit d'un crépi. Lorsqu'il s'agit d'appliquer un enduit de finition sur les murs intérieurs, on utilise le plus souvent un enduit repassé, enduit fin appliqué en plusieurs couches successives, jusqu'à l'obtention d'une surface lisse. Les enduits intérieurs ont pour principale fonction de constituer des surfaces très planes et très lisses nécessaires pour appliquer peintures, papiers peints et autres revêtements muraux. La couche de finition a généralement une épaisseur comprise ente 0,5 et 1 cm. Les **enduits structurés** (crépis, par exemple) doivent être jetés à la truelle (voir page 84).

13 • L'enduit jeté-truelle s'applique en structurant à la truelle ou à la truelle à lisser le mortier malléable encore humide afin de lui donner diverses structures et reliefs possibles.

14-15 • La structure de l'**enduit taloché** est obtenue en ajoutant des granulats de différentes granulométries, puis en frottant l'enduit par mouvements circulaires de la taloche pour resserrer les grains. L'aspect final des enduits de finition talochée est obtenu en travaillant l'enduit à la taloche afin de lui donner le relief souhaité. Pour réaliser des travaux importants, il est préférable de se procurer des enduits de parement pour finition talochée prêts à l'emploi.

16 • Les **enduits de parement repassés** ou **enduits fins** sont appliqués en couche de finition afin d'obtenir une surface parfaitement lisse apte à recevoir des revêtements éventuels. Les enduits lisses sont disponibles en mortiers prêts à l'emploi pour l'intérieur ou l'extérieur. L'enduit de parement lisse s'applique à la truelle à lisser en une couche de 2 à 3 mm d'épaisseur après humidification de la couche précédente. Les grains de sable de la couche précédente ne doivent pas se mélanger à la couche de finition, sous peine d'obtenir une surface rugueuse à la place de la surface lisse souhaitée. Égalisez la surface à la truelle à lisser ou avec un couteau à enduire.

16 • Il existe également des enduits lisses qui se travaillent à la taloche. 17 • Lissez enfin à la taloche éponge. 18 • Support d'enduit. 19 • Enduit armé.

17 • Attendez le temps nécessaire pour que l'enduit ne colle plus au toucher sans être toutefois totalement sec.

Prenez alors une taloche éponge ou une taloche feutrée suffisamment humide et lissez l'enduit en exerçant une légère pression tout en décrivant des mouvements circulaires. Plongez de temps en temps la taloche éponge dans l'eau, surtout si les surfaces semblent sécher très rapidement. Repassez la taloche éponge sur les surfaces trop sèches.

Outre les enduits traditionnels, qui s'appliquent en trois couches, il existe des **enduits monocouches** exécutés sur une primaire d'accrochage ou un régulateur de fond en une seule couche de quelques millimètres d'épaisseur. Les enduits monocouches à base de liants organiques de synthèse, appliqués en couche mince, nécessitent un support particulièrement régulier et peuvent être structurés selon les conditions de mise en œuvre fournies par le fabricant.

18-19 • Dans certains cas, il est indispensable d'utiliser un **support d'enduit** et une **armature métallique**, en particulier sur les endroits totalement impropres à recevoir un enduit. Les supports d'enduit sont généralement en métal déployé à nervures et les armatures se présentent sous forme de grillage galvanisé, de treillis soudés ou de tissus d'armature synthétiques. Les supports d'enduit servent par exemple à recouvrir des poutres en bois : le support dépasse des deux côtés de la poutre sur 10 à 15 cm ; ces deux bandes de support sont fixées à la maçonnerie par des clous. Les panneaux légers en laine de bois constituent des supports d'enduit suffisamment résistants pour recevoir un enduit ultérieurement. Au niveau des joints verticaux, on insère une bande de treillis soudé à l'aide d'une taloche de façon qu'aucune fente ne subsiste. On applique alors une couche de mortier sur les joints verticaux, on fixe un tissu d'armature synthétique et on applique une deuxième couche d'enduit.

17

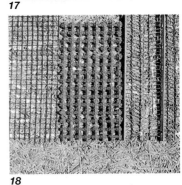

18

16

19

Réparer des enduits endommagés

Matériaux

Sable à mortier à granulométrie semblable au sable d'origine, liant ou mortier prêt à l'emploi adapté.

Outillage

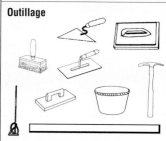

Niveau de difficulté

0	1	2	3

Force

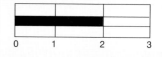

0	1	2	3

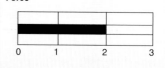

Durée de réalisation

Il faut compter environ deux heures pour réparer 1 m^2 d'enduit.

Économie

Environ 120 à 180 francs par mètre carré.

Les **mortiers prêts à l'emploi** conviennent parfaitement pour réparer les enduits endommagés. Généralement, ce sont les mêmes types de mortiers qui sont utilisés à la fois pour réparer et pour exécuter les enduits traditionnels : enduits à la chaux pour les murs intérieurs, enduits au mortier bâtard pour l'intérieur et l'extérieur, enduits au mortier de ciment pour les murs de façade en élévation et les murs de fondations ou de soubassement. En outre, il existe toute une gamme de mortiers de réparation universels (enduits garnissants, enduits de rebouchage, etc.) pour les petites réparations. Les **mortiers adhésifs** pour l'intérieur (chaux-plâtre) et l'extérieur (chaux-ciment) offrent une capacité d'adhérence élevée. Ces produits sont étalés en une seule couche et lissés à la taloche éponge. Ils ne nécessitent pas de gobetis, mais souvent un régulateur de fond. Vous pouvez évidemment gâcher à la main votre mortier de réparation comme un mortier traditionnel. Pour réparer un enduit, utilisez une petite truelle de maçon ou une truellette.

Si vous envisagez de réparer votre enduit, suivez les conseils suivants :
• sondez avec un marteau les parties accessibles, en particulier de part et

1 • Appliquez une barbotine à l'aide d'une brosse. 2 • Travaillez l'enduit à la taloche.
3 • Donnez-lui le motif souhaité.

d'autre des fissures, afin d'évaluer si l'enduit sonne creux ; s'il sonne creux, il est détérioré, alors éliminez-le ;

• le support doit être propre, sain, dépoussiéré et exempt de toute trace de graisse ou de peinture. Il doit être humidifié avant l'application du mortier ;

• Avant de réparer un enduit, il est indispensable de supprimer la cause des dommages, par exemple des infiltrations d'humidité persistantes.

1 • S'il s'agit de réparer des petites surfaces abîmées, il est inutile d'exécuter un **gobetis** si vous mouillez préalablement le mur et si vous appliquez sur le support un mortier dilué ou une barbotine à l'aide d'une vieille brosse. En revanche, si les surfaces détériorées sont plus importantes, il est préférable de réaliser un gobetis traditionnel.

Après avoir appliqué le gobetis, vous pouvez exécuter un corps d'enduit adapté et, après le durcissement du corps d'enduit, appliquez une couche de finition : telle est la règle à respecter lorsqu'il s'agit de **couches de finition lisses**. Pour des petites surfaces, il est plus simple d'utiliser des mortiers à granulométrie fine et de les

appliquer en une seule couche. Les mortiers adhésifs et les enduits projetés sont particulièrement adaptés à ce type d'usage. Lissez-les à la taloche éponge et poncez les gros granulats à l'aide d'un gratton ou de papier-émeri après le durcissement de l'enduit.

2 • Lorsqu'il s'agit de **couches de finition structurées**, il est nécessaire d'appliquer un **corps d'enduit** après le gobetis et de le travailler avec une règle et une taloche de manière à obtenir une surface régulière et parfaitement plane.

3 • Il s'agit à présent de reproduire exactement la structure de la **couche de finition**. Pour les enduits de finition jeté-truelle et les enduits talochés, la quantité et la taille des granulats les plus gros déterminent l'aspect de l'enduit. Vous pouvez essayer d'ajouter des gros grains de ce type au sable à mortier. Vous jugerez du résultat. Une autre solution consiste à essayer d'obtenir un enduit structuré semblable à celui d'un enduit prêt à l'emploi : vous gagnerez du temps.

4 • À l'occasion de la réparation de votre enduit, si vous souhaitez reboucher des **trous** importants, utilisez des petites pierres, des cailloux ou

1

2

3

4 • Rebouchage des trous. 5 • Lissage des angles à la taloche éponge.
6 • Atténuez les différences au pinceau.

4

5

6

tout autre matériau que vous maçonnerez soigneusement.

5 • Les angles de mur abîmés peuvent être réparés en appliquant un peu de mortier dilué sur le support et en étalant ensuite un mortier de réparation à texture fine. Terminez le travail en lissant le mortier à la truelle et à la taloche éponge.

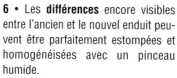

☞ Le conseil du pro

Vous pouvez fabriquer vous-même un enduit à texture très fine en filtrant du sable à l'aide d'une vieille passoire et en gâchant un mortier offrant la même composition que celle d'un corps d'enduit.

6 • Les différences encore visibles entre l'ancien et le nouvel enduit peuvent être parfaitement estompées et homogénéisées avec un pinceau humide.

Les petites **fissures dues à la contrainte** peuvent être réparées de la façon suivante : appliquez une couche de mortier de faible épaisseur sur la fissure sur une zone de 5 à 10 cm, posez une bande de gaze adaptée et continuez l'enduisage. Des mortiers

de réparation modernes prêts à l'emploi, de même que des enduits au ciment ou au plâtre peuvent être utilisés pour des travaux de rebouchage. En ce qui concerne les **voûtes en maçonnerie**, il convient d'ôter le mortier de jointoiement détérioré avant d'exécuter l'enduit et de garnir les joints avec un mortier bâtard à l'aide d'une truelle.

Vous pouvez utiliser des **enduits de ragréage** afin de niveler les irrégularités de surface importantes, en particulier si vous ne souhaitez pas poser de revêtement mural. Vous pouvez fabriquer un enduit de ragréage en mélangeant une peinture à base de résines synthétiques en dispersion et du sable siliceux comme charge minérale (maximum 4 litres de sable pour 12 litres de peinture).

Dans la plupart des cas, les réparations n'en valent pas la peine, par exemple si l'on se trouve en présence d'une maçonnerie gravement détériorée et présentant des irrégularités de surface trop importantes, une fois l'enduit ôté. C'est souvent le cas dans les caves anciennes. La réalisation d'un **remplissage** (massif de matériaux qui remplit les vides entre les deux parements d'un mur) de quelques centimètres d'épaisseur en béton cellulaire constitue la solution adaptée.

Le crépi est un enduit de parement des façades et, plus spécialement, un enduit mince de finition : c'est la troisième couche à appliquer. En règle générale, après avoir nettoyé la surface à crépir, appliquez une couche de fixateur.

Choisir le rouleau de finition

Trois éléments sont à prendre en compte :
• le produit à appliquer,
• le support,
• l'effet désiré.

Lisez attentivement les notices et, au besoin, demandez conseil à un vendeur.

Les motifs possibles

Il existe sept manières d'obtenir différents motifs : à l'aide d'une machine à projeter (qu'il est possible de louer chez un revendeur), à la spatule, à l'éponge, au badigeon ou au balai, au peigne, à la brosse ou à l'aide d'une bouteille.
Réalisez des essais sur une petite surface avant de commencer les travaux.

Les quantités nécessaires

Bien que la consommation soit variable selon le type et l'aspect du support, il est possible de donner une estimation.

• pour les enduits monocouche : 3 à 10 kg/m^2,

• pour les enduits de parement plastique : 1 à 4 kg/m^2,

• pour les crépis à projeter : 6 kg/m^2 environ.

Calculer les doses nécessaires

	Ciment	Chaux	Sable	Consistance
Enduit au mortier de ciment (gobetis)	50 kg	–	120 à 130 litres	Presque liquide
Mortier bâtard	50 kg	40 kg	160 à 170 litres	Presque liquide
Enduit de finition du mortier de ciment	50 kg	–	120 à 130 litres	Onctueux
Enduit de chaux 1re couche	50 kg	25 kg	160 à 170 litres	Onctueux
Enduit de chaux 2e couche	–	40 kg	110 à 120 litres	Onctueux

Procédez à l'édification du gros œuvre

Matériaux
Les matériaux utilisés dépendent de la nature et de l'importance du gros œuvre.

Outillage

Niveau de difficulté

0	1	2	3

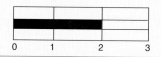

Force

0	1	2	3

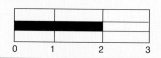

Durée de réalisation
La durée de réalisation du gros œuvre dépend de l'importance du bâtiment à construire, mais elle est généralement de plusieurs semaines, voire de plusieurs mois.

Économie
Vous réalisez une économie de 30 à 40 % sur les coûts habituels que représente l'édification du gros œuvre.

Même le maçon amateur que vous êtes peut construire entièrement la maison de ses rêves en dressant un projet de construction adapté à ses objectifs et en demandant régulièrement conseil à des professionnels. Vous réaliserez ainsi des économies considérables. Vous devez toutefois disposer de suffisamment de temps et pouvoir à tout moment compter sur des spécialistes compétents. En effet, la construction est soumise à un ensemble de règlements parfois complexes et les conditions à remplir pour obtenir le permis de construire sont multiples. C'est pourquoi des conseillers spécialisés dans ce domaine faciliteront considérable-

1 • Réalisez, dans un premier temps, les fondations. 2 • Disposez des chaises autour de la fondation.
3 • Isolez la construction de l'humidité. 4 • Puis montez les planches et les murs.

ment vos démarches administratives et vos rapports avec les autorités.

Plus le projet est de taille, plus il est nécessaire de se décider rapidement pour choisir les matériaux, la méthode de construction et de mise en œuvre des différents éléments et pour établir le planning de travail. On peut choisir une maison prête à monter que le constructeur a voulue conforme aux souhaits et aux besoins du client. Les constructeurs proposent également des maisons pour lesquelles l'entreprise de construction et le maître d'ouvrage se partagent les travaux selon leurs compétences respectives. On peut également coopérer avec des entreprises de construction locales qui aident et conseillent le maçon amateur si ce dernier rencontre des difficultés lors de la réalisation des travaux.

La question du **transport** des matériaux et de l'outillage doit être posée en priorité. Au lieu d'utiliser une grue, on peut se servir d'élévateurs ou de camions-grues. Le béton prêt à l'emploi peut aussi vous être livré par un camion-malaxeur ou camion-bétonnière qui déverse sur le chantier le béton préparé en usine. Si l'accès à la partie d'ouvrage à réaliser est trop difficile, des goulottes, des tapis roulants ou des pompes permettent de franchir l'obstacle.

1 • Toutes les constructions, quelle que soit leur taille, nécessitent la réalisation de **fondations**. Selon la nature du terrain et le type de construction, il s'agit soit de fondations sur semelles filantes, soit de fondations sur radier, toutes en béton. On peut réaliser soi-même des petites fondations sur radier destinées à un bâtiment de taille modeste ; en revanche, les fondations destinées à soutenir des bâtiments d'habitation doivent être laissées à la charge des professionnels.

2 • Des **chaises** pour tirer au cordeau permettent, en s'aidant d'un fil à plomb, de reporter correctement les dimensions réelles de la construction aux fondations. Les murs extérieurs de la cave peuvent être montés avec des matériaux de maçonnerie traditionnels ou avec des blocs coffrants. Lorsqu'il existe un risque d'humidité

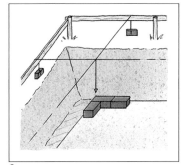

2

3

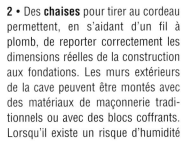

1

4

5 • Montage d'un escalier préfabriqué. 6 • Montage du mur de pignon.
7 • Terminez par l'application d'un enduit ou un crépi.

5

6

7

important, il est préférable d'employer du béton d'étanchement. Ce travail doit toutefois être réalisé par une entreprise spécialisée.

3 • Les maçonnerie en contact direct avec le sol, c'est-à-dire les murs de fondation ou de soubassement, doivent être protégés de l'humidité par des produits d'imperméabilisation, des enduits d'étanchéité, dits enduits noirs, à base de bitume ou par des panneaux étanches entièrement collés les uns aux autres. Afin d'assurer une isolation supplémentaire contre l'humidité, il est recommandé de mettre en place un dispositif de drainage.

4 • Vous pouvez réaliser vos planchers à l'aide d'éléments préfabriqués : poutrelles et hourdis par exemple. À cet effet, il est recommandé d'utiliser un mortier-colle pour assembler les différents matériaux ou éléments. Vous vous faciliterez considérablement la tâche en utilisant des matériaux comportant des faces d'about en forme de rainure et languette ou portant un défoncé dans lequel sera emprisonné le mortier de pose.
Les ouvertures de portes et de fenêtres sont surmontées de linteaux. Utilisez de préférence des linteaux et des volets roulants qui s'harmonisent

parfaitement à la maçonnerie existante, tant en termes de dimensions que de mise en œuvre.

5 • Les **escaliers** sont des éléments faciles à construire par un bricoleur, surtout si l'on recourt aux escaliers préfabriqués. Les marches ne sont installées qu'après le montage des murs ; elles reposent sur des murs d'appui spécialement destinés à ce type d'usage.

6 • Les murs pignons sont des murs fermant l'extrémité d'un bâtiment. Le pignon est la partie supérieure, en général triangulaire, d'un mur de bâtiment, parallèle aux fermes et portant les versants du toit. Il dépend de l'inclinaison du toit. On commence par maçonner le mur pignon selon l'angle prévu puis, dès que la construction de la charpente de comble est achevée, on réalise un ajustage en fonction de la disposition des poutres.

7 • L'application d'un enduit sur une surface étendue ne pose aucun problème au bricoleur averti. Certains supports peuvent éventuellement être traités, d'autres nécessitent absolument un traitement approprié si l'on veut être assuré de conserver un enduit en bon état longtemps.

Index

Crédit photographique

Les photographies et illustrations de ce manuel ont été fournies par les personnes et les sociétés citées ci-dessous. Nous les remercions pour leur aimable collaboration.

Les chiffres indiqués entre paren-thèses correspondent aux numéros de page et de photographies (celles-ci sont numérotées de haut en bas et de droite à gauche).

Hebel AG
Fürstenfeldbruck

(pages 6 • 10/4 • 28/2 • 34-35/3, 5 • 40/2 • 41/2 • 43/1 • 49-50/10-14 • 51 • 52/1 • 54/5 • 54/9-10 • 58 • 59-60/1-6 • 66 • 67/2-4) • 82 • 92 • 93-94/3-7)

Unipor-Ziegel Marketing GmbH
München
(pages 10/2 • 19/9 • 34/4 • 43/2 • 46 • 50/15)

Kalksandstein Information GmbH
Hannover
(pages 13/4 • 48/9 • 55/11 • 56)

Sakret Trockenbaustoffe GmbH
Wiesbaden (page 44/3)

PCI Augsburg GmbH
Augsburg
(pages 79/9 • 81/3)

Les autres photographies ont été réalisées par l'auteur, les schémas par Ulla Häusler.

Dépôt légal : mai 1997
N° d'éditeur : 5906
Imprimé en France par Pollina, 85400 Luçon - 72271